Valle-Inclán, Ramón del, 1870–1936.

Sonata de estío [por] Ramón del Valle-Inclán. Edited, with vocabulary and notes, by Marshall Nunn ... with the collaboration of Betty Vann. Boston, D. C. Heath and company [1945]

xii, 135 p. 19 cm.

I. Nunn, Marshall Elbert, 1902– ed. II. Vann, Betty, joint ed. III. Title.

SONATA de ESTÍO

Ramón del Valle-Inclán

Edited
with vocabulary and notes

By MARSHALL NUNN, Ph.D.
UNIVERSITY OF ALABAMA

with the collaboration of
BETTY VANN

D. C. Heath and Company ·
BOSTON

Printed in the United States of America 4 L 6

Offices: Boston New York
Chicago San Francisco Dallas
Atlanta London

PREFACE

The present text is intended for the second year of college work, or for the third or fourth year of high school. Although several short chapters and a number of small passages have been left out, to make the material more suitable for classroom reading, the text has otherwise not been altered.

The editors feel that American students of the Spanish language should early become acquainted with the work of such a master stylist as was Valle-Inclán. Of his four *Sonatas* it is felt that this one is not only the best but is, also, the most suitable for a text edition.

Notes at the bottom of the page should prove an aid in the translation. The editors, however, have not carried this to an extreme, preferring to put many short idiomatic expressions in the end vocabulary. The *Cuestionario* should prove valuable for oral work.

The editors wish to thank Mr. Robert Jackson for valuable assistance with the end vocabulary, and Professors Jerome Schweitzer and John C. Dawson of the University of Alabama for timely suggestions. The editors owe a great debt to Dr. José Padín, Modern Language Editor of D. C. Heath and Company, for his aid and advice.

M. N.
B. V.

CONTENTS

INTRODUCTION

Ramón del Valle-Inclán was born of a noble family in 1869, in Puebla de Caraminal, a town in Pontevedra, Spanish Galicia. Endowed with a temperament which was a fusion of lyrical sensitivity, egotistical exhibitionism, manifested in boasting words and daring actions, ready anger, and a fantastic imagination, his innate genius took root in the somber soil of Galicia. Here the constant rains and low-hanging clouds give a dark and tearful cast to life; but here, likewise, is the soft and gentle feature of rolling landscape and luxuriant vegetation. These opposite features of the terrain were woven by Valle-Inclán into a strange tone pattern which pervades his writing.

At twenty Valle-Inclán completed a course in law at the University of Santiago de Compostela, and shortly afterward went to Mexico. Little is known of the two years that he spent there. He boasts of having committed many crimes, but his friends believe that this is merely a product of his vivid imagination.

Upon his return to Pontevedra he began work on his first book, composed of six short stories known as *Femeninas*, which appeared in 1894. A year later he moved to Madrid where he immediately entered the circle of literary people whose favorite meeting place was the Café Regina. His great gift for narrating always assured him an audience eager to hear the fantastic stories he would weave. "His imagination is always at work. His beautiful lies come to us wrapped in a gorgeous, lyric garb."[1] The man himself was as individual as his stories. "He is tall and meager — a bundle of nerves; his brow rises high and ascetically; a thin scraggly beard falls half way to his girdle; his sharp piercing eyes hide behind great shell-rimmed spectacles. He dresses in his own fashion, generally in black. A black cape funereally drapes his left shoulder which wants an arm. Holding himself erect and dignified he has the pride of all his fictitious progenitors; he is haughty to a degree, but his heart is noble in the true sense of the word — there is none more kindhearted."[2] Thus he has been described by those who knew him. As to how he lost his left arm, Valle-Inclán always told a different story. One that is generally accepted is this: having offended a friend at the café, Valle-Inclán tried vainly to protect himself with uplifted arm as his friend rained merciless blows on him. This arm was severely bruised and, due to his own carelessness, gangrene set in and it had to be amputated. From then on he liked to be compared to the immortal Cervantes.

1. Kunitz, Stanley J., *Authors Today and Yesterday*, pp. 658–659.
2. *Ibid.*, p. 659.

Little is known of his private life. Some believe that his *Sonatas* are autobiographical, but it is more likely that they represent the life that he would like to have lived. That they are the result of his fertile imagination is more plausible. Valle-Inclán had loved dearly his native Galicia, so in later years he returned to Santiago de Compostela where he died early in 1936. In speaking of him Pedro Salinas has the following to say, "La persona era esencialmente la de un inmenso actor . . . a quien el mundo entero servía de escenario." [1]

Valle-Inclán, renowned novelist, was also a recognized poet and dramatist. Following his mediocre success with *Femeninas*, he wrote for several years without arousing much interest, but with the appearance of *Sonata de otoño* in 1902 his reputation as a great artist was thoroughly established. Prominent among his novels are: the four *Sonatas;* a trilogy known as *La Guerra Carlista*, comprised of *Los Cruzados de la causa*, *El resplandor de la hoguera*, and *Gerifaltes de antaño;* a cycle entitled *El ruedo ibérico*, of which the author completed only two novels — *La corte de los milagros* and *Viva mi dueño;* and in a class by itself, *Tirano Banderas*, a magnificent story of a petty tyrant of Latin America.

For his dramatic works Valle-Inclán coined the word *esperpentos*. These represent an entirely new style of writing. In them there is the combination of the tragic and the comic. They are full of realistic descriptions and have more vitality than any of his

1. Salinas, Pedro, *Literatura Española siglo* XX, p. 165.

other works. The best example of the *esperpento* is *Los cuernos de don Friolera*. Others of his well-known plays are *Águila de blasón*, *Romance de lobos*, and *Cara de plata*. The hero of these plays is Don Juan Manuel de Montenegro, who is the last of a line whose sons have all the defects and none of the good qualities of their father.

Valle-Inclán's poetry, like his prose, is often exotic, and contains a rich descriptive note. He shows the clear influence of Rubén Darío and other *modernista* poets. The important thing was the external beauty of his poetry. The proper word in the proper place was necessary. Also, rare and exotic subjects were to be desired. *Aromas de leyenda*, *La pipa de kif*, *El pasajero*, with two dramas in verse — *Cuento de abril* and *La Marquesa Rosalinda*, are among Valle-Inclán's best remembered poems.

His *Sonatas* are made up of four novels. The titles symbolize the periods of man's life. *Sonata de primavera* represents his youth; *Sonata de estío*, maturity; *Sonata de otoño*, the waning years of his prime; *Sonata de invierno*, declining years. Action is centered about the character of the Marqués de Bradomín, a sort of modern don Juan. The entire story is told by the Marqués. Reviewing the most dramatic moments of his life, he reveals the details of his past.

Surprisingly enough, Valle-Inclán did not write the *Sonatas* in the order in which they are read, for *Sonata de otoño*, the first to appear, was published in 1902. In this novel the Marqués returned to one of his old sweethearts who was dying. Concealing his pity for her, he pretended to love her. He was not one to refuse the love of a beautiful woman, and Concha was still as beautiful as a delicate, fragile flower whose loveliness has begun to fade. His presence made her recover temporarily, but one night several weeks later she died in his arms. His sorrow was short lived. That same night, through a misunderstanding, he betrayed Concha's cousin. The following morning the Marqués wept, not for Concha, but for his lost youth. He seemed to sense that Concha's death was symbolical of the last flicker of his youth.

This *Sonata* is often considered the best. The descriptions, wrapped in lyrical prose, are reminiscent of a beautiful sunset. The prose is almost poetic in quality, such is its exquisite charm and grace. The language is always entirely in keeping with the subject matter.

In 1903 he completed *Sonata de estío*. The vibrant, exotic, and luxuriant descriptions of life in the tropics form a striking contrast with those found in *Sonata de otoño*. These two could well be called the best in the series.

The following year he wrote *Sonata de primavera*. The Marqués' first love, his only sincere love, brought only grief and sorrow in its wake. María Rosario placed all the blame for her misfortunes on him, and he, fearing for his life, fled. He had not yet developed that scorn for fear so evident in his later life.

The last of the group, *Sonata de invierno*, was published in 1905. The Marqués was now an old man in the service of Charles VII, pretender to the Spanish throne. His daughter's love was the only one he awakened in a feminine heart. Aware that life glided by, with resignation he devoted himself solely to his king, for time had crushed the proud and arrogant spirit of the Marqués de Bradomín.

Dominated by a strong sense of idealism, most of his characters appear elusive and visionary. The mysterious air pervading the settings added to the already chimerical qualities of his works. To convey these impressions he often made use of a select group of words. In the *Sonatas* Valle-Inclán captured all the melancholy and nostalgia of passions and loves once more recalled from the past, but the sincerity of these intense emotions rings false. He is above all a master craftsman, a master of words. The rest is hardly important.

Sonata de estío

Sonata de estío

I

Decidido a correr tierras, al principio dudé sin saber adónde dirigir mis pasos: después, dejándome llevar de un impulso romántico, fuí a México. Yo sentía levantarse en mi alma, como un canto homérico, la tradición aventurera de todo mi linaje. Uno de mis antepasados, Gonzalo de Sandoval, había fundado en aquellas tierras el Reino de la Nueva Galicia, otro había sido Inquisidor General, y todavía el Marqués de Bradomín conservaba allí los restos de un mayorazgo, deshecho entre legajos y pleitos. Sin meditarlo más, resolví atravesar los mares. Me atraía la leyenda mexicana con sus viejas dinastías y sus dioses crueles.

Embarqué en Londres, donde vivía emigrado desde la traición de Vergara [1] e hice el viaje a vela en aquella

1. The first Carlist War (1833–1839) came to an end in August, 1839 with the signing of the treaty of Vergara. Many of the die-hard followers of Don Carlos felt that they had been betrayed.

fragata « La Dalila » que después naufragó en las costas de Yucatán. Como un aventurero de otros tiempos, iba a perderme en la vastedad del viejo Imperio Azteca, Imperio de historia desconocida, sepultada para siempre con las momias de sus reyes, entre restos ciclópeos que hablan de civilizaciones, de cultos, de razas que fueron y sólo tienen par en ese misterioso cuanto remoto Oriente.

II

Aun cuando toda la navegación tuvimos tiempo de bonanza,[1] como yo iba herido de mal de amores, apenas salía de mi camarote ni hablaba con nadie. Cierto que viajaba por olvidar, pero hallaba tan novelescas mis cuitas, que no me resolvía a ponerlas en olvido. En todo me ayudaba aquello de ser inglesa la fragata y componerse el pasaje de herejes y mercaderes. ¡ Ojos perjuros y barbas de azafrán ! La raza sajona es la más despreciable de la tierra. Yo, contemplando sus pugilatos grotescos y pueriles sobre la cubierta de la fragata, he sentido un nuevo matiz de la vergüenza: la vergüenza zoológica.

¡ Cuán diferente había sido mi primer viaje a bordo de un navío genovés, que conducía viajeros de todas las partes del mundo ! Recuerdo que al tercer día ya tuteaba a un príncipe napolitano, y no hubo entonces damisela mareada a cuya pálida y despeinada frente no sirviese mi mano de reclinatorio. Érame divertido

1. *Aun . . . bonanza,* Even though we had fair weather during the entire trip.

entrar en los corros que se formaban sobre cubierta a la sombra de grandes toldos de lona, y aquí chapurrear el italiano con los mercaderes griegos de rojo fez y fino bigote negro, y allá encender el cigarro en la pipa de los misioneros armenios. Había gente de toda laya: tahures que parecían diplomáticos, cantantes con los dedos cubiertos de sortijas, abates barbilindos que dejaban un rastro de almizcle, y generales americanos, y toreros españoles, y judíos rusos, y grandes señores ingleses. Una farándula exótica y pintoresca que con su algarabía causaba vértigo y mareo. Era por los mares de Oriente, con rumbo a Jafa. Yo iba como peregrino a Tierra Santa.

El amanecer de las selvas tropicales, cuando sus macacos aulladores y sus verdes bandadas de guacamayos saludan al sol, me ha recordado muchas veces los tres puentes del navío genovés, con su feria babélica de tipos, de trajes y de lenguas,[1] pero más, mucho más me lo recordaron las horas untadas de opio [2] que constituían la vida a bordo de « La Dalila ». Por todas partes asomaban rostros pecosos y bermejos, cabellos azafranados y ojos perjuros. Herejes y mercaderes en el puente, herejes y mercaderes en la cámara. ¡ Cualquiera tendría para desesperarse ! [3] Yo, sin embargo, lo llevaba con paciencia. Mi corazón estaba muerto, tan muerto, que no digo la trompeta del Juicio, ni siquiera unas castañuelas le

1. *feria babélica . . . lenguas*, with its babel of races, costumes, and languages.
2. *horas untadas de opio*, opium-reeking hours.
3. *¡ Cualquiera . . . desesperarse !* Anyone would have cause to despair.

resucitarían. Desde que el cuitado diera las boqueadas,[1] yo parecía otro hombre: habíame vestido de luto, y en presencia de las mujeres, a poco lindos que tuviesen los ojos,[2] adoptaba una actitud lúgubre de poeta sepulturero y doliente. En la soledad del camarote edificaba mi espíritu con largas reflexiones, considerando cuán pocos hombres tienen la suerte de llorar una infidelidad que hubiera cantado el divino Petrarca.

Por no ver aquella taifa luterana, apenas asomaba sobre cubierta. Solamente cuando el sol declinaba iba a sentarme en la popa, y allí, libre de importunos, pasábame las horas viendo borrarse la estela de la fragata. El mar de las Antillas, con su trémulo seno de esmeralda donde penetraba la vista, me atraía, me fascinaba, como fascinan los ojos verdes y traicioneros de las hadas que habitan palacios de cristal en el fondo de los lagos. Pensaba siempre en mi primer viaje. Allá, muy lejos, en la lontananza azul donde se disipan las horas felices, percibía como en esbozo fantástico las viejas placenterías. El lamento informe y sinfónico de las olas despertaba en mí un mundo de recuerdos: perfiles desvanecidos, ecos de risas, murmullos de lenguas extranjeras, y los aplausos y el aleteo de los abanicos mezclándose a las notas de la tirolesa que en la cámara de los espejos cantaba Lilí.[3] Era una resurrección de sensaciones, una esfumación deliciosa del pasado, algo etéreo, brillante,

1. *Desde . . . boqueadas*, As soon as my wretched [heart] breathed its last.
2. *a poco . . . ojos*, provided their eyes were the least beautiful.
3. Lilí was a former sweetheart for whom he is grieving.

cubierto de polvo de oro, como esas reminiscencias que los sueños nos dan a veces de la vida.

III

Nuestra primera escala en aguas de México, fué San Juan de Tuxtlan. Recuerdo que era media mañana cuando bajo un sol abrasador que resecaba las maderas y derretía la brea, dimos fondo en aquellas aguas de bruñida plata. Los barqueros indios, verdosos como antiguos bronces, asaltan la fragata por ambos costados, y del fondo de sus canoas sacan exóticas mercancías: cocos esculpidos, abanicos de palma y bastones de carey, que muestran sonriendo como mendigos a los pasajeros que se apoyan sobre la borda. Cuando levanto los ojos hasta los peñascos de la ribera, que asoman la tostada cabeza entre las olas, distingo grupos de muchachos desnudos que se arrojan desde ellos y nadan grandes distancias, hablándose a medida que se separan y lanzando gritos. Algunos descansan sentados en las rocas, con los pies en el agua. Otros se encaraman para secarse al sol, que los ilumina de soslayo, gráciles y desnudos, como figuras de un friso del Partenón.

Para huir del enojo que me causaba la vida a bordo, decidíme a desembarcar. No olvidaré nunca las tres horas mortales que duró el pasaje desde la fragata a la playa. Aletargado por el calor, voy todo este tiempo echado en el fondo de la canoa de un negro africano que mueve los remos con lentitud desesperante. A través de los párpados entornados veía erguirse y doblarse sobre mí, guardando el mareante compás de la bogada, aquella figura de carbón, que unas veces me sonríe con sus abultados labios de gigante, y otras silba esos aires cargados de religioso sopor, una música compuesta solamente de tres notas tristes, con que los magnetizadores de algunas tribus salvajes adormecen a las grandes culebras. Así debía ser el viaje infernal de los antiguos en la barca de Carón: sol abrasador, horizontes blanquecinos y calcinados, mar en calma sin brisas ni murmullos, y en el aire todo el calor de las fraguas de Vulcano.

Cuando arribamos a la playa, se levantaba una fresca ventolina, y el mar, que momentos antes semejaba de plomo, empezaba a rizarse. « La Dalila » no tardaría en levar anclas para aprovechar el viento que llegaba tras largos días de calma. Solamente me quedaban algunas horas para recorrer aquel villaje indio. De mi paseo por las calles arenosas de San Juan de Tuxtlan conservo una impresión somnolenta y confusa, parecida a la que deja un libro de grabados hojeado perezosamente en la hamaca durante el bochorno de la siesta. Hasta me parece que cerrando los ojos, el recuerdo se aviva y cobra relieve. Vuelvo a sentir la angustia de la sed y el polvo. Atiendo al despacioso ir y venir de aquellos indios ensabanados como fantasmas, oigo la voz melosa de aquellas criollas ataviadas con graciosa ingenuidad de estatuas clásicas, el cabello suelto, los hombros desnudos, velados apenas por rebocillo de transparente seda.

Aun a riesgo de que la fragata se hiciese a la vela,[1]

1. *Aun a riesgo . . . a la vela,* Even at the risk of the boat setting sail.

busqué un caballo y me aventuré hasta las ruinas de Tequil. Un indio adolescente me sirvió de guía. El calor era insoportable. Casi siempre al galope, recorrí extensas llanuras de Tierra Caliente, plantíos que no acaban nunca, de henequén y caña dulce. En la línea del horizonte se perfilaban las colinas de configuración volcánica revestidas de maleza espesa y verdinegra. En la llanura los chaparros tendían sus ramas, formando una a modo de sombrilla gigantesca, y sentados en rueda, algunos indios devoraban la miserable ración de tamales. Nosotros seguíamos una senda roja y polvorienta. El guía, casi desnudo, corría delante de mi caballo. Sin hacer alto una sola vez, llegamos a Tequil. En aquellas ruinas de palacios, de pirámides y de templos gigantes, donde crecen polvorientos sicomoros y anidan verdes reptiles, he visto por primera vez una singular mujer a quien sus criados indios, casi estoy por decir [1] sus siervos, llamaban dulcemente la Niña Chole. Me pareció la Salambó de aquellos palacios. Venía de camino hacia San Juan de Tuxtlan y descansaba a la sombra de una pirámide, entre el cortejo de sus servidores. Era una belleza bronceada, exótica, con esa gracia extraña y ondulante de las razas nómadas, una figura hierática y serpentina, cuya contemplación evocaba el recuerdo de aquellas princesas hijas del sol, que en los poemas indios resplandecen con el doble encanto sacerdotal y voluptuoso. Vestía como las criollas yucatecas, albo hipil recamado con sedas de colores, vestidura indígena semejante a una

1. *estoy por decir*, I am tempted to say.

tunicela antigua, y zagalejo andaluz, que en aquellas tierras ayer españolas, llaman todavía con el castizo y jacaresco nombre fustán. El negro cabello caíale suelto,[1] el hipil jugaba sobre el clásico seno. Por desgracia, yo solamente podía verla el rostro aquellas raras veces que hacia mí lo tornaba, y la Niña Chole tenía esas bellas actitudes de ídolo, esa quietud extática y sagrada de la raza maya, raza tan antigua, tan noble, tan misteriosa, que parece haber emigrado del fondo de la Asiria. Pero a cambio del rostro, desquitábame en aquello que no alcanzaba a velar el rebocillo, admirando cómo se merecía la tornátil morbidez de los hombros y el contorno del cuello. ¡Válgame Dios! Me parecía que de aquel cuerpo bruñido por el ardiente sol de México se exhalaban lánguidos efluvios, y que yo los aspiraba, los bebía, que me embriagaba con ellos... Un criado indio trae del diestro el palafrén de aquella Salambó, que le habla en su vieja lengua y cabalga sonriendo. Entonces, al verla de frente, el corazón me dió un vuelco. Tenía la misma sonrisa de Lilí. ¡Aquella Lilí, no sé si amada o aborrecida!

IV

Descansé en un bohío levantado en medio de las ruinas, y adormecí en la hamaca colgada de un cedro gigantesco que daba sombra a la puerta. El campo se hundía lentamente en el silencio amoroso de sus-

1. *El negro . . . suelto,* Her black hair fell loosely.

piros de un atardecer ardiente. La brisa aromada y fecunda de los crepúsculos tropicales oreaba mi frente.

Adormecido por el ajetreo, el calor y el polvo, soñé como un árabe que imaginase haber traspasado los umbrales del Paraíso. ¿ Necesitaré decir que las siete huríes con que me regaló el Profeta eran siete criollas vestidas de fustán e hipil, y que todas tenían la sonrisa de Lilí y el mirar de la Niña Chole ? Verdaderamente, aquella Salambó de los palacios de Tequil empezaba a preocuparme demasiado. Lo advertí con terror, porque estaba seguro de concluir enamorándome locamente de sus lindos ojos si tenía la desgracia de volver a verlos. Afortunadamente, las mujeres que así tan de súbito nos cautivan suelen no aparecerse más que una vez en la vida.[1] Pasan como sombras, envueltas en el misterio de un crepúsculo ideal. Si volviesen a pasar, quizá desvaneceríase el encanto. ¡ Y a qué volver,[2] si una mirada suya basta a comunicarnos todas las secretas melancolías del amor!

¡ Oh románticos devaneos, pobres hijos del ideal, nacidos durante algunas horas de viaje! ¿ Quién llegó a viejo y no ha sentido estremecerse el corazón bajo la caricia de vuestra ala blanca ? ¡ Yo guardo en el alma tantos de estos amores! . . . Aun hoy, con la cabeza llena de canas, viejo prematuro, no puedo recordar sin melancolía un rostro de mujer, entrevisto

1. *las . . . vida*, the women who thus so suddenly captivate us do not usually appear more than once in a lifetime.
2. *¡ Y a qué volver !* And why again.

cierta madrugada entre Urbino y Roma, cuando yo estaba de Guardia Noble de Su Santidad. Es una figura de ensueño pálida y suspirante, que flota en lo pasado y esparce sobre todos mis recuerdos juveniles el perfume ideal de esas flores secas que entre cartas y rizos guardan los enamorados, y en el fondo de algún cofrecillo parecen exhalar el cándido secreto de los primeros amores.

Los ojos de la Niña Chole habían removido en mi alma tan lejanas memorias, tenues como fantasmas, blancas como bañadas por luz de luna. Rejuvenecido y feliz, con cierta felicidad melancólica, suspiraba por los amores ya vividos, al mismo tiempo que me embriagaba con el perfume de aquellas rosas abrileñas que tornaban a engalanar el viejo tronco. El corazón, tanto tiempo muerto, sentía con la ola de savia juvenil que lo inundaba nuevamente, la nostalgia de viejas sensaciones; sumergíase en la niebla del pasado y saboreaba el placer de los recuerdos, ese placer de moribundo que amó mucho y en formas muy diversas. ¡ Ay, era delicioso aquel estremecimiento que la imaginación excitada comunicaba a los nervios ! . . .

Y en tanto, la noche detendía por la gran llanura su sombra llena de promesas apasionadas, y los pájaros de largas alas volaban de las ruinas. Di algunos pasos, y con voces que repitió el eco milenario de aquellos palacios, llamé al indio que me servía de guía. Con el overo ya embridado, asomó tras un ídolo gigantesco esculpido en piedra roja. Cabalgué y partimos. El horizonte relampagueaba. Un vago olor marino, olor de algas y brea, mezclábase por veces al mareante de la campiña, y allá, muy lejos, en el fondo oscuro del Oriente, se divisaba el resplandor rojizo de la selva que ardía. En aquellas tinieblas pobladas de susurros nupciales y de moscas de luz que danzan entre las altas yerbas, raudas y quiméricas, me parecía respirar una esencia suave, deliciosa, divina: la esencia que la madurez del Estío vierte en el cáliz de las flores y en los corazones.

V

Ya metida la noche; llegamos a San Juan de Tuxtlan.[1] Descabalgué y, arrojando al guía las riendas del caballo, por una calle solitaria bajé solo a la playa. Al darme en el rostro la brisa del mar, avizoréme pensando si la fragata habría zarpado. En estas dudas iba, cuando percibo a mi espalda blando rumor de pisadas descalzas. Un indio ensabanado se me acerca:

— ¿ No tiene mi amito cosita que me ordenar ?[2]

— Nada, nada . . .

El indio hace señal de alejarse:

— ¿ Ni precisa que le guíe, niño ?

— No preciso nada.

Sombrío y musitando, embózase mejor en la sábana que le sirve de clámide y se va. Yo sigo adelante camino de la playa. De pronto la voz mansa

1. *Ya . . . Tuxtlan*, It was already dark when we reached San Juan de Tuxtlan.

2. *¿ No . . . ordenar?* Doesn't my master have anything to command of me ?

y humilde del indio llega nuevamente a mi oído. Vuelvo la cabeza y le descubro a pocos pasos. Venía a la carrera y cantaba los gozos de Nuestra Señora de Guadalupe. Me dió alcance y murmuró emparejándose:

— De verdad, niño, si se pierde no sabrá salir de los médanos . . .

El hombre empieza a cansarme, y me resuelvo a no contestarle. Esto, sin duda, le anima, porque sigue acosándome buen rato de camino.

De pronto, y con un salto de salvaje plántaseme delante en ánimo y actitud de cerrarme el paso: encorvado, el sombrero en una mano a guisa de broquel, la otra echada fieramente atrás, armada de una faca ancha y reluciente. Confieso que me sobrecogí. El paraje era a propósito para tal linaje de acechanzas: médanos pantanosos cercados de negros charcos donde se reflejaba la luna, y allá lejos una barraca de siniestro aspecto, con los resquicios iluminados por la luz de adentro. Quizá me dejo robar entonces si llega a ser menos cortés el ladrón y me habla torvo y amenazante, jurando arrancarme las entrañas y prometiendo beberse toda mi sangre. Pero en vez de la intimación breve e imperiosa que esperaba, le escuché murmurar con su eterna voz de esclavo:

— No se llegue, mi amito, que puede clavarse [1] . . .

Oírle y recobrarme fué obra de un instante. El indio ya se recogía, como un gato montés, dispuesto a saltar sobre mí. Parecióme sentir en la médula el

1. *No . . . clavarse . . .*, Don't come near, boss, or you'll get stuck.

frío del acero. Tuve horror a morir apuñalado, y de pronto me sentí fuerte y valeroso. Con ligero estremecimiento en la voz, grité al truhán adelantando un paso, apercibido a resistirle:

—¡ Andando o te dejo seco! [1] 5

El indio no se movió. Su voz de siervo parecióme llena de ironía:

—¡ No se arrugue, valedor!... Si quiere pasar, ahí merito, sobre esa piedra, arríe la plata. Andele, luego, luego.[2] 10

Otra vez volví a tener miedo de aquella faca reluciente. Sin embargo, murmuré resuelto:

—¡ Ahora vamos a verlo, bandido!

No llevaba armas, pero en las ruinas de Tequil, a un indio que vendía pieles de jaguar había tenido el 15 capricho de comprarle su bordón que me encantó por la rareza de las labores. Aun lo conservo: parece el cetro de un rey negro, tan oriental, y al mismo tiempo tan ingenua y primitiva es la fantasía con que está labrado. Me afirmé los quevedos, requerí el palo, y 20 con gentil compás de pies, como diría un bravo de ha dos siglos, adelanté hacia el ladrón, que dió un paso procurando herirme de soslayo. Por ventura mía,[3] la luna dábale de lleno y advertí el ataque en sazón de evitarlo. Recuerdo confusamente que intenté un 25 desarme con amago a la cabeza y golpe al brazo, y que el indio lo evitó jugándome la luz con destreza de salvaje. Después no sé. Sólo conservo una impresión

1. *¡ Andando ... seco!* Move on or I'll kill you!
2. *¡ No ... luego,* Don't get sore, boss. If you want to go on, drop your money right there on that stone. Come now, get a move on!
3. *Por ventura mía,* Luckily for me.

angustiosa como de pesadilla. El médano iluminado por la luna, la arena negra y movediza donde se entierran los pies, el brazo que se cansa, la vista que se turba, el indio que desaparece, vuelve, me acosa, se 5 encorva y salta con furia fantástica de gato embrujado, y cuando el palo va a desprenderse de mi mano, un bulto que huye y el brillo de la faca que pasa sobre mi cabeza y queda temblando como víbora de plata clavada en el árbol negro y retorcido de una cruz 10 hecha de dos troncos chamuscados . . . Quedéme un momento azorado y sin darme cuenta cabal del suceso. Como a través de niebla muy espesa, vi abrirse sigilosamente la puerta de la barraca y salir dos hombres a catear la playa. Recelé algún en- 15 cuentro como el pasado, y tomé a buen paso camino del mar. Llegué a punto que largaba un bote de la fragata, donde iba el segundo de a bordo. Gritéle, y mandó virar para recogerme.

VI

Llegado que fuí a la fragata,[1] recogíme a mi cama- 20 rote, y como estuviese muy fatigado, me acosté en seguida. Cátate que no bien apago la luz empiezan a removerse las víboras mal dormidas del deseo que desde todo el día llevaba enroscadas al corazón, apercibidas a morderle. Al mismo tiempo, sentíame 25 invadido por una gran melancolía, llena de confusión y de misterio. El recuerdo de la Niña Chole perse-

1. *Llegado . . . fragata*, As soon as I arrived at the frigate.

guíame con mariposeo ingrávido y terco.[1] Su belleza índica, y aquel encanto sacerdotal, aquella gracia serpentina, y el mirar sibilino, la sonrisa inquietante, los pies de niña, los hombros desnudos, todo cuanto la mente adivinaba, cuanto los ojos vieran, todo, todo era hoguera voraz en que mi carne ardía. Y era tal el poder sugestivo del recuerdo, que en algunos momentos creí respirar el perfume voluptuoso que al andar esparcía su falda, con ondulaciones suaves.

Poco a poco cerróme los ojos la fatiga, y el arrullo monótono y regular del agua acabó de sumirme en un sueño amoroso, febril e inquieto, representación y símbolo de mi vida. Despertéme al amanecer con los nervios vibrantes, cual si hubiese pasado la noche en un invernadero, entre plantas exóticas, de aromas raros, afroditas y penetrantes. Sobre mi cabeza sonaban voces confusas y blando pataleo de pies descalzos, todo ello acompañado de mucho chapoteo y trajín. Empezaba la faena del baldeo. Me levanté y subí al puente. Heme [2] ya respirando la ventolina que huele a brea y algas. En aquella hora el calor es deleitante. Percíbense en el aire estremecimientos voluptuosos. El horizonte ríe bajo un hermoso sol.

Envuelto en el rosado vapor que la claridad del alba extendía sobre el mar azul, adelantaba un esquife. Era tan esbelto, ligero y blanco, que la clásica comparación con la gaviota y con el cisne veníale de perlas.[3] En las bancas traía hasta seis remeros. Bajo

1. *El recuerdo . . . terco*, The image of Niña Chole pursued me with the light and tireless fluttering of a butterfly.
2. *Heme*, Behold me.
3. *veníale de perlas*, fit her perfectly.

un palio de lona, levantado a popa se guarecía del sol una figura vestida de blanco. Cuando el esquife tocó la escalera de la fragata ya estaba yo allí, en confusa espera de no sé qué gran ventura. Una mujer viene 5 sentada al timón. El toldo solamente me deja ver el borde de la falda y los pies de reina calzados con chapines de raso blanco, pero mi alma la adivina. ¡ Es ella, la Salambó de los palacios de Tequil! . . . Sí, era ella, más gentil que nunca, velada apenas en el 10 rebocillo de seda. Hela en pie sobre la banca, apoyada en los hercúleos hombros de un marinero negro. El labio abultado y rojo de la criolla sonríe con la gracia inquietante de una egipcia, de una turania. Sus ojos, envueltos en la sombra de las pestañas, tie- 15 nen algo de misterioso, de quimérico y lejano, algo que hace recordar las antiguas y nobles razas que en remotas edades fundaron grandes imperios en los países del sol . . . El esquife cabecea al costado de la fragata. La criolla, entre asustada y divertida, se 20 agarra a los crespos cabellos del gigante, que impensadamente la toma al vuelo y se lanza con ella a la escala. Los dos ríen envueltos en un salsero que les moja la cara. Ya sobre cubierta, el coloso negro la deja sola y se aparta secreteando con el contra- 25 maestre.

Yo gano la cámara por donde necesariamente han de pasar. Nunca el corazón me ha latido con más violencia. Recuerdo perfectamente que estaba desierta y un poco oscura. Las luces del amanecer 30 cabrilleaban en los cristales. Pasa un momento. Oigo voces y gorjeos. Un rayo de sol más juguetón, más vivo, más alegre, ilumina la cámara, y en el fondo de los espejos se refleja la imagen de la Niña Chole.

VII

Fué aquel uno de esos largos días de mar encalmados y bochornosos que navegando a vela no tienen fin. Sólo de tiempo en tiempo alguna ráfaga cálida 5 pasaba entre las jarcias y hacía flamear el velamen. Yo andaba avizorado y errabundo, con la esperanza de que la Niña Chole se dejase ver sobre cubierta algún momento. Vana esperanza. La Niña Chole permaneció retirada en su camarote, y acaso por esto 10 las horas me parecieron, como nunca, llenas de tedio. Desengañado de aquella sonrisa que yo había visto y amado en otros labios, fuí a sentarme en la popa.

Sobre el dormido cristal de esmeralda, la fragata dejaba una estela de bullentes rizos. Sin saber cómo 15 resurgió en mi memoria cierta canción americana que Nieves Agar, la amiga querida de mi padre, me enseñaba hace muchos años, allá en tiempos cuando yo era rubio como un tesoro y solía dormirme en el regazo de las señoras que iban de tertulia al Palacio de 20 Bradomín. ¡ Pobre Nieves Agar, cuántas veces me has mecido en tus rodillas al compás de aquel danzón que cuenta la historia de una criolla más bella que Atala, dormida en hamaca de seda, a la sombra de los cocoteros ! ¡ Tal vez la historia de otra Niña Chole ! 25

Ensoñador y melancólico permanecí toda la tarde sentado a la sombra del foque, que caía lacio sobre mi cabeza. Solamente al declinar el sol se levantó una ventolina, y la fragata, con todo su velamen desplegado, pudo doblar la Isla de Sacrificios y dar fondo en aguas de Veracruz. Cautiva el alma de religiosa emoción, contemplé la abrasada playa donde desembarcaron antes que pueblo alguno de la vieja Europa, los aventureros españoles, hijos de Alarico el bárbaro y de Tarik el moro. Vi la ciudad que fundaron y a la que dieron abolengo de valentía, espejarse en el mar quieto y de plomo como si mirase fascinada la ruta que trajeron los hombres blancos. A un lado, sobre desierto islote de granito, baña sus pies en las olas el castillo de Ulúa, sombra romántica que evoca un pasado feudal que allí no hubo, y a lo lejos la cordillera de Orizaba, blanca como la cabeza de un abuelo, dibujóse con indecisión fantástica sobre un cielo clásico, de límpido y profundo azul. Recordé lecturas casi olvidadas que, niño aún, me habían hecho soñar con aquella tierra hija del sol: Narraciones medio históricas, medio novelescas, en que siempre se dibujaban hombres de tez cobriza, tristes y silenciosos como cumple a los héroes vencidos, y selvas vírgenes pobladas de pájaros de brillante plumaje, y mujeres como la Niña Chole, ardientes y morenas, símbolo de la pasión que dijo un cuitado poeta de estos tiempos.

Como no es posible renunciar a la patria, yo, español y caballero, sentía el corazón henchido de entusiasmo, y poblada de visiones gloriosas la mente, y la memoria llena de recuerdos históricos. La imaginación exaltada me fingía al aventurero [1] extremeño

1. *aventurero* refers to Cortés, conqueror of Mexico.

poniendo fuego a sus naves, y a sus hombres esparcidos por la arena, atisbándole de través, los mostachos enhiestos al antiguo uso marcial, y sombríos los rostros varoniles, curtidos y con pátina, como las figuras de los cuadros muy viejos. Yo iba a desembarcar en aquella playa sagrada, siguiendo los impulsos de una vida errante, y al perderme, quizá para siempre, en la vastedad del viejo Imperio Azteca, sentía levantarse en mi alma de aventurero, de hidalgo y de cristiano, el rumor augusto de la Historia.

Apenas anclamos, sale en tropel de la ribera una gentil flotilla compuesta de esquifes y canoas. Desde muy lejos se oye el son monótono del remo. Centenares de cabezas asoman sobre la borda de la fragata, y abigarrada muchedumbre hormiguea, se agita y se desata en el entrepuente. Háblase a gritos el español, el inglés, el chino. Los pasajeros hacen señas a los barqueros indios para que se aproximen. Ajustan, disputan, regatean, y al cabo, como rosario que se desgrana, van cayendo en el fondo de las canoas que rodean la escalera y esperan ya con los remos armados. La flotilla se dispersa. Todavía a larga distancia vese una diminuta figura moverse agitando los brazos y se oyen sus voces, que destaca y agranda la quietud solemne de aquellas regiones abrasadas. Ni una sola cabeza se ha vuelto hacia la fragata para mandarle un adiós de despedida. Allá van, sin otro deseo que tocar cuanto antes la orilla. Son los conquistadores del oro. La noche se avecina. Todo oscurece lentamente: gime la brisa, riela la luna, el cielo azul turquí se torna negro, de un negro solemne donde las estrellas adquieren una limpidez profunda. Es la noche americana de los poetas.

VIII

Acababa de bajar a mi camarote, y hallábame tendido en la litera fumando una pipa y quizá soñando con la Niña Chole, cuando se abre la puerta y veo aparecer a Julio César, rapazuelo mulato que me había regalado en Jamaica cierto aventurero portugués que, andando el tiempo, llegó a general en la República Dominicana. Julio César se detiene en la puerta, bajo el pabellón que forman las cortinas:

—¡Mi amito! A bordo viene un moreno que mata los tiburones en el agua con el trinchete. ¡Suba, mi amito, no se dilate![1] . . .

Y desaparece velozmente, como esos etíopes carceleros de princesas en los castillos encantados. Yo, espoleado por la curiosidad, salgo tras él. Heme en el puente que ilumina la plácida claridad del plenilunio. Un negro colosal, con el traje de tela chorreando agua, se sacude como un gorila, en medio del corro que a su rededor han formado los pasajeros, y sonríe mostrando sus blancos dientes de animal familiar. A pocos pasos dos marineros encorvados sobre la borda de estribor, halan un tiburón medio degollado, que se balancea fuera del agua al costado de la fragata. Mas he ahí que de pronto rompe el cable, y el tiburón desaparece en medio de un remo-

1. *no se dilate*, hurry.

lino de espumas. El negrazo musita apretando los labios elefancíacos.

Y se va, dejando como un rastro en la cubierta del navío las huellas húmedas de sus pies descalzos. Una voz femenina le grita desde lejos:

— ¡ Ché moreno ! [1] . . .

— ¡ Voy, horita ! [2] . . . No me dilato.

La forma de una mujer blanquea sobre negro fondo en la puerta de la cámara. ¡ No hay duda, es ella ! ¿ Pero cómo no la he adivinado ? ¿ Qué hacías tú, corazón, que no me anunciabas su presencia ? ¡ Oh, con cuánto gusto hubiérate entonces puesto bajo sus lindos pies para castigo ! El marinero se acerca:

— ¿ Manda alguna cosa la Niña Chole ?

— Quiero verte matar un tiburón.

El negro sonríe con esa sonrisa blanca de los salvajes, y pronuncia lentamente, sin apartar los ojos de las olas que argenta la luna:

— No puede ser, mi amita: Se ha juntado una punta de tiburones, ¿ sabe ?

— ¿ Y tienes miedo ?

— ¡ Qué va ! [3] . . . Aunque fácilmente, como la sazón está peligrosa . . . Vea su merced no más [4] . . .

La Niña Chole no le dejó concluir:

— ¿ Cuánto te han dado esos señores ?

— Veinte tostones. Dos centenes, ¿ sabe ?

Oyó la respuesta el contramaestre, que pasaba ordenando una maniobra, y con esa concisión dura y

1. *¡ Ché moreno ! . . .* Hey, darky !
2. *¡ Voy, horita ! . . .* Coming right now.
3. *¡ Qué va ! . . .* Of course not.
4. *Vea su merced no más . . .* Just you look, that's all.

franca de los marinos curtidos, sin apartar el pito de los labios ni volver la cabeza, apuntóle:

—¡Cuatro monedas y no seas guaje!...

El negro pareció dudar. Asomóse al barandal de 5 estribor y observó un instante el fondo del mar donde temblaban amortiguadas las estrellas. Veíanse cruzar argentados y fantásticos peces que dejaban tras sí estela de fosforescentes chispas y desaparecían confundidos con los rieles de la luna. En la zona de 10 sombra que sobre el azul de las olas proyectaba el costado de la fragata, esbozábase la informe mancha de una cuadrilla de tiburones. El marinero se apartó reflexionando. Todavía volvióse una o dos veces a mirar las dormidas olas, como penetrado de la queja 15 que lanzaban en el silencio de la noche. Picó un cigarro con las uñas, y se acercó:

—Cuatro centenes, ¿le apetece a mi amita?[1]

La Niña Chole, con ese desdén patricio que las criollas opulentas sienten por los negros, volvió a él su 20 hermosa cabeza de reina india, y en tono tal que las palabras parecían dormirse cargadas de tedio en el borde de los labios, murmuró:

—¿Acabarás?... ¡Sean los cuatro centenes![2]...

Los labios hidrópicos del negro esbozaron una son- 25 risa de ogro avaro y sensual. Seguidamente despojóse de la blusa, desenvainó el cuchillo que llevaba en la cintura y como un perro de Terranova tomóle entre los dientes y se encaramó sobre la borda. El agua del mar relucía aún en aquel torso desnudo que parecía

1. *¿le... amita?* does that suit my lady?
2. *¡Sean los cuatro centenes!...* Let it be the four gold coins!

de barnizado ébano. Inclinóse el negrazo sondando con los ojos el abismo. Luego, cuando los tiburones salieron a la superficie, le vi erguirse negro y mitológico sobre el barandal que iluminaba la luna, y con los brazos extendidos echarse de cabeza[1] y desaparecer buceando. Tripulación y pasajeros, cuantos se hallaban sobre cubierta, agolpáronse a la borda. Sumiéronse los tiburones en busca del negro, y todas las miradas quedaron fijas en un remolino que no tuvo tiempo a borrarse, porque casi incontinenti una mancha de espumas rojas coloreó el mar, y en medio de los hurras de la marinería y el vigoroso aplaudir de las manos coloradotas y plebeyas de los mercaderes, salió a flote la testa chata y lanuda del marinero que nadaba ayudándose de un solo brazo, mientras con el otro sostenía entre aguas un tiburón degollado por la garganta, donde traía clavado el cuchillo . . . Tratóse en tropel de izar al negro. Arrojáronse cuerdas, ya para el caso prevenidas, y cuando levantaba medio cuerpo fuera del agua, rasgó el aire un alarido horrible, y le vimos abrir los brazos y desaparecer sorbido por los tiburones. Yo permanecía aún sobrecogido cuando sonó a mi espalda una voz que decía:

— ¿ Quiere hacerme sitio,[2] señor ?

Al mismo tiempo alguien tocó suavemente mi hombro. Volví la cabeza y halléme con la Niña Chole. Vagaba, cual siempre, por su labio inquietante sonrisa, y abría y cerraba velozmente una de sus manos, en cuya palma vi lucir varias monedas

1. *echarse de cabeza*, to dive head first.
2. *¿ Quiere hacerme sitio ?* Will you please move over ?

de oro. Rogóme con cierto misterio que la dejase sitio, y doblándose sobre la borda las arrojó lo más lejos que pudo. En seguida volvióse a mí con gentil escorzo de todo el busto:

—¡ Ya tiene para el flete de Caronte ![1] . . .

Yo debía estar más pálido que la muerte, pero como ella fijaba en mí sus hermosos ojos y sonreía, vencióme el encanto de los sentidos, y mis labios aun trémulos, pagaron aquella sonrisa de reina antigua con la sonrisa del esclavo que aprueba cuanto hace su señor. La crueldad de la criolla me horrorizaba y me atraía. Nunca como entonces me pareciera tentadora y bella. Del mar oscuro y misterioso subían murmullos y aromas. La blanca luna les prestaba no sé qué rara voluptuosidad. La trágica muerte de aquel coloso negro, el mudo espanto que se pintaba aún en todos los rostros, un violín que lloraba en la cámara, todo en aquella noche, bajo aquella luna, era para mí objeto de voluptuosidad depravada y sutil . . .

Alejóse la Niña Chole con ese andar rítmico y ondulante que recuerda al tigre, y al desaparecer, una duda cruel me mordió el corazón. Hasta entonces no había reparado que a mi lado estaba un adolescente bello y rubio, que recordé haber visto al desembarcar en la playa de Tuxtlan. ¿ Sería para él la sonrisa de aquella boca, en donde parecía dormir el enigma de algún antiguo culto licencioso, cruel y diabólico ?

1. *¡ Ya . . . Caronte ! . . .* Now he has something for the fare of Charon !

IX

Con las primeras luces del alba desembarqué en Veracruz. Tuve miedo de aquella sonrisa de Lilí que ahora se me aparecía en boca de otra mujer. Tuve miedo de aquellos labios, los labios de Lilí, frescos, rojos, fragantes como las cerezas de nuestro huerto, 5 que tanto gustaba de ofrecerme en ellos.[1] Si el pobre corazón es liberal, y dió hospedaje al amor más de una y de dos veces, y gustó sus contadas alegrías, y padeció sus innumerables tristezas, no pueden menos de causarle[2] temblores, miradas y sonrisas cuando 10 los ojos y los labios que las prodigan son como los de la Niña Chole. ¡ Yo he temblado entonces, y temblaría hoy, que la nieve de tantos inviernos cayó sin deshelarse sobre mi cabeza!

Ya otras veces había sentido ese mismo terror de 15 amar, pero llegado el trance de poner tierra por medio,[3] siempre me habían faltado los ánimos como a una romántica damisela. ¡ Flaquezas del corazón mimado toda la vida por mi ternura, y toda la vida dándome sinsabores! Hoy tengo por experiencia 20 averiguado que únicamente los grandes santos y los grandes pecadores poseen la virtud necesaria para huir las tentaciones del amor. Yo confieso humildemente que sólo en aquella ocasión pude dejar de ofrecerle el nido de mi pecho al sentir el roce de sus 25

1. *que . . . ellos*, in which I so much enjoyed indulging.
2. *no . . . causarle*, cannot help causing it.
3. *pero . . . medio*, but the critical moment of placing distance between us having arrived.

alas. ¡ Tal vez por eso el destino tomó a empeño probar el temple de mi alma!

Cuando arribábamos a la playa en un esquife de la fragata, otro esquife empavesado con banderas 5 y gallardetes acababa de varar en ella, y mis ojos adivinaron a la Niña Chole en aquella mujer blanca y velada que desde la proa saltó a la orilla. Sin duda estaba escrito que yo había de ser tentado y vencido. Hay mártires con quienes el diablo se divierte ro- 10 bándoles la palma, y desgraciadamente, yo he sido uno de esos toda la vida. Pasé por el mundo como un santo caído de su altar y descalabrado. Por fortuna, algunas veces pude hallar manos blancas y piadosas que vendasen mi corazón herido. Hoy, al contemplar 15 las viejas cicatrices y recordar cómo fuí vencido, casi me consuelo. En una Historia de España, donde leía siendo niño, aprendí que lo mismo da triunfar que hacer honrosa la derrota.[1]

Al desembarcar en Veracruz, mi alma se llenó de 20 sentimientos heroicos. Yo crucé ante la Niña Chole orgulloso y soberbio como un conquistador antiguo. Allá en sus tiempos mi antepasado Gonzalo de Sandoval, que fundó en México el reino de la Nueva Galicia, no habrá mostrado mayor desvío ante las 25 princesas aztecas sus prisioneras, y sin duda la Niña Chole era como aquellas princesas que sentían el amor al ser ultrajadas y vencidas, porque me miraron largamente sus ojos y la sonrisa más bella de su boca fué para mí. La deshojaron los labios como las 30 esclavas deshojaban las rosas al paso triunfal de los

1. *lo mismo . . . derrota*, an honorable defeat is as good as a victory.

vencedores. Yo, sin embargo, supe permanecer desdeñoso.

Por aquella playa de dorada arena subimos a la par, la Niña Chole entre un cortejo de criados indios, yo precedido de mi esclavo negro. Casi rozando 5 nuestras cabezas volaban torpes bandadas de feos y negros pajarracos.[1] Era un continuado y asustadizo batir de alas que pasaban oscureciendo el sol. Yo las sentía en el rostro como fieros abanicazos. Tan presto iban rastreando como se remontaban en la 10 claridad azul.[2] Aquellas largas y sombrías bandadas cerníase en la altura con revuelo quimérico, y al caer sobre las blancas azoteas moriscas las ennegrecían, y al posarse en los cocoteros del arenal desgajaban las palmas. Parecían aves de las ruinas con su cabeza 15 leprosa, y sus alas flequeadas, y su plumaje de luto, de un negro miserable, sin brillo ni tornasoles. Había cientos, había miles. Un esquilón tocaba a misa de alba en la iglesia de los Dominicos que estaba al paso, y la Niña Chole entró con el cortejo de sus criados. 20 Todavía desde la puerta me envió una sonrisa. ¡ Pero lo que acabó de prendarme fué aquella muestra de piedad !

X

En la Villa Rica de la Veracruz fué mi alojamiento un venerable parador que acordaba el tiempo feliz de 25 los virreyes. Yo esperaba detenerme allí pocas horas.

1. These turkey buzzards are the natural scavengers of *Tierra Caliente* and neutralize the deficiencies of municipal sanitation.
2. *Tan . . . azul,* As quickly they skimmed the earth as they ascended to the high heavens.

Quería reunir una escolta aquel mismo día y ponerme en camino para las tierras que habían constituído mi mayorazgo. Por entonces sólo con buena guardia de escopeteros era dado aventurarse [1] en los caminos mexicanos, donde señoreaban cuadrillas de bandoleros. ¡ Aquellos plateados [2] tan famosos por su fiera bravura y su lujoso arreo! Eran los tiempos de Adriano Cuéllar y Juan de Guzmán.[3]

De pronto, en el patio lleno de sol apareció la Niña Chole con su séquito de criados. Majestuosa y altiva se acercaba con lentitud, dando órdenes a un caballerango que escuchaba con los ojos bajos y respondía en lengua yucateca, esa vieja lengua que tiene la dulzura del italiano y la ingenuidad pintoresca de los idiomas primitivos. Al verme hizo una gentil cortesía, y por su mandato corrieron a buscarme tres indias núbiles que parecían sus azafatas. Hablaban alternativamente como novicias que han aprendido una letanía y recitan aquello que mejor saben. Hablaban lentas y humildes, sin levantar la mirada:

— Es la Niña que nos envía, señor . . .

— Nos envía para decirle . . .

— Perdone vos, para rogarle, señor . . .

— Como ha sabido la Niña que vos, señor, junta una escolta, y ella también tiene que hacer camino.

— ¡ Mucho camino, señor!

— ¡ Hartas leguas, señor!

1. *era dado aventurarse*, one could risk to travel.
2. *Aquellos plateados*, those bandits. Bandits in Mexico at this time were called *plateados* because of the excessive use of silver ornaments for themselves and on the saddles and trappings of their horses.
3. Adriano Cuéllar y Juan de Guzmán were famous Mexican bandits.

— ¡ Más de dos días, señor !

Seguí a las azafatas. La Niña Chole me recibió agitando las manos:

— ¡ Oh ! Perdone el enojo.

Su voz era queda, salmodiada y dulce, voz de sacerdotisa y de princesa. Yo, después de haberla contemplado intensamente, me incliné. ¡ Viejas artes de enamorar, aprendidas en el viejo Ovidio ! La Niña Chole prosiguió:

— En este mero instante acabo de saber que junta usted una escolta para ponerse en viaje. Si hiciésemos la misma jornada podríamos reunir la gente. Yo voy a Necoxtla.

Haciendo una cortesía versallesca y suspirando respondí:

— Necoxtla está seguramente en mi camino.

La Niña Chole interrogó curiosa:

— ¿ Va usted muy lejos ? ¿ Acaso a Nueva Sigüenza ?

— Voy a los llanos de Tixul, que ignoro dónde están. Una herencia del tiempo de los virreyes, entre Grijalba y Tlacotalpan.

La Niña Chole me miró con sorpresa:

— ¿ Qué dice, señor ? Es diferente nuestra ruta. Grijalba está en la costa y hubiérale sido mejor continuar embarcado.

Me incliné de nuevo con rendimiento:

— Necoxtla está en mi camino.

Ella sonrió desdeñosa:

— Pero no reuniremos nuestras gentes.

— ¿ Por qué ?

— Porque no debe ser. Le ruego, señor, que siga su camino. Yo seguiré el mío.

— Es uno mismo el de los dos.[1] Tengo el propósito de secuestrarla a usted apenas nos hallemos en des-
5 poblado.

Los ojos de la Niña Chole, tan esquivos antes, se cubrieron con una amable claridad:

— ¿ Diga, son locos todos los españoles ?

Yo repuse con arrogancia:

10 — Los españoles nos dividimos en dos grandes bandos: uno, el Marqués de Bradomín, y en el otro, todos los demás.

La Niña Chole me miró risueña:

— ¡ Cuánta jactancia, señor !

15 En aquel momento el caballerango vino a decirle que habían ensillado y que la gente estaba dispuesta a ponerse en camino si tal era su voluntad. Al oírle, la Niña Chole me miró intensamente seria y muda. Después volviéndose al criado, le interrogó:

20 — ¿ Qué caballo me habéis dispuesto ?

— Aquel alazano, Niña. Véalo allí.

— ¿ El alazano rodado ?

— ¡ Qué va, Niña ! El otro alazano del belfo blanco que bebe en el agua. Vea qué linda estampa.
25 Tiene un paso que se traga los caminos, y la boca una seda.[2] Lleva sobre el borrén la cantarilla de una ranchera, y galopando no la derrama.

— ¿ Dónde haremos parada ?

1. *Es . . . dos*, Your road and mine are the same.
2. *Tiene . . . seda*, He has a gait that eats up the road, and is easy to control.

— En el convento de San Juan de Tegusco.

—¿ Llegaremos de noche ?

— Llegaremos al levantarse la luna.

— Pues advierte a la gente de montar luego, luego.

El caballerango obedeció. La Niña Chole me pareció que apenas podía disimular una sonrisa:

— Señor, mal se verá para seguirme,[1] porque parto en el mero instante.

— Yo también.

— ¿ Pero acaso tiene dispuesta su gente ?

— Como yo esté dispuesto, basta.[2]

— Vea que camino a reunirme con mi marido y no quiera balearse con él. Pregunte y le dirán quién es el general Diego Bermúdez.

Oyéndola sonreí desdeñosamente. Tornaba en esto el caballerango, y quedóse a distancia esperando silencioso y humilde. La Niña Chole le llamó:

— Llega, cálzame la espuela.

Ya obedecía, cuando yo arranqué de sus manos el espolín de plata e hinqué la rodilla ante la Niña Chole, que sonriendo me mostró su lindo pie prisionero en chapín de seda. Con las manos trémulas le calcé el espolín. Mi noble amigo Barbey D'Aurevilly hubiera dicho de aquel pie que era hecho para pisar un zócalo de Pharos. Yo no dije nada, pero lo besé con tan apasionado rendimiento, que la Niña Chole exclamó risueña:

— Señor, deténgase en los umbrales.

Y dejó caer la falda, que con dedos de ninfa sos-

1. *mal . . . seguirme*, you will find it difficult to follow me.
2. *Como . . . basta*, Provided I am ready, nothing else matters.

tenía levemente alzada. Seguida de sus azafatas cruzó como una reina ofendida el anchuroso patio sombreado por toldos de lona, que bajo la luz adquirían tenue tinte dorado de marinas velas. Los cínifes zumbaban en torno de un surtidor que gallardeaba al sol su airón de plata, y llovía en menudas irisadas gotas sobre el tazón de alabastro. En medio de aquel ambiente encendido, bajo aquel cielo azul donde la palmera abre su rumoroso parasol, la fresca música del agua me recordaba de un modo sensacional y remoto las fatigas del desierto y el delicioso sestear en los oasis. De tiempo en tiempo un jinete entraba en el patio. Los mercenarios que debían darnos escolta a través de los arenales de Tierra Caliente empezaban a juntarse. Pronto estuvieron reunidas las dos huestes. Una y otra se componían de gente marcial y silenciosa: antiguos salteadores que fatigados de la vida aventurera, y despechados del botín incierto, preferían servir a quien mejor les pagaba, sin que ninguna empresa les arredrase. Su lealtad era legendaria. Ya estaba ensillado mi caballo con las pistolas en el arzón, y a la grupa las vistosas y moriscas alforjas donde iba el viático para la jornada, cuando la Niña Chole reapareció en el patio. Al verla me acerqué sonriendo, y ella, fingiéndose enojada, batió el suelo con su lindo pie.

XI

Montamos, y en tropel atravesamos la ciudad. Ya fuera de sus puertas hicimos un alto para contarnos.

Después dió comienzo la jornada fatigosa y larga. Aquí y allá, en el fondo de las dunas y en la falda de arenosas colinas, se alzaban algunos jacales que, entre vallados de enormes cactus, asomaban sus agudas techumbres de cáñamo gris medio podrido. Mujeres de tez cobriza y mirar dulce salían a los umbrales, e indiferentes y silenciosas nos veían pasar. La actitud de aquellas figuras broncíneas revelaba esa tristeza transmitida, vetusta, de las razas vencidas. Su rostro era humilde, con dientes muy blancos y grandes ojos negros, selváticos, indolentes y velados. Parecían nacidas para vivir eternamente en los aduares y descansar al pie de las palmeras y de los ahuehuetles.

Ya puesto el sol divisamos una aldea india. Estaba todavía muy lejana y se aparecía envuelta en luz azulada y en silencio de paz. Rebaños polvorientos y dispersos adelantaban por un camino de tierra roja abierto entre maizales gigantes. El campanario de la iglesia, con su enorme nido de zopilotes, descollaba sobre las techumbres de palma. Aquella aldea silenciosa y humilde, dormida en el fondo de un valle, me hizo recordar las remotas aldeas abandonadas al acercarse los aventureros españoles. Ya estaban cerradas todas las puertas y subía de los hogares un humo tenue y blanco que se disipaba en la claridad del crepúsculo como salutación patriarcal. Nos detuvimos a la entrada y pedimos hospedaje en un antiguo priorato de Comendadoras Santiaguistas.[1] A

1. *Comendadoras Santiaguistas.* Religious order for women, a branch of the Santiago order founded in 1161. The military order of Santiago was founded by a group of Spanish nobles to defend Christian pilgrims on their visits to the shrine of Santiago in Galicia.

los golpes que un espolique descargó en la puerta, una cabeza con tocas asomó en la reja y hubo largo coloquio. Nosotros, aun bastante lejos, íbamos al paso de nuestros caballos, abandonadas las riendas y distraídos en plática galante. Cuando llegamos, la monja se retiraba de la reja. Poco después las pesadas puertas de cedro se abrían lentamente, y una monja donada, toda blanca en su hábito, apareció en el umbral:

— Pasen, hermanos, si quieren reposar en esta santa casa.

Nunca las Comendadoras Santiaguistas negaban hospitalidad. A todo caminante que la demandase debía serle concedida. Así estaba dispuesto por los estatutos de la fundadora Doña Beatriz de Zayas, favorita y dama de un virrey. El escudo nobiliario de la fundadora todavía campeaba sobre el arco de la puerta. La hermana donada nos guió a través de un claustro sombreado por oscuros naranjos. Allí era el cementerio de las Comendadoras. Sobre los sepulcros, donde quedaban borrosos epitafios, nuestros pasos resonaron. Una fuente lloraba monótona y triste. Empezaba la noche, y las moscas de luz danzaban entre el negro follaje de los naranjos. Cruzamos el claustro y nos detuvimos ante una puerta forrada de cuero y claveteada de bronce. La hermana abrió. El manojo de llaves que colgaba de su cintura produjo un largo son y quedó meciéndose. La donada cruzó las manos sobre el escapulario, y pegándose al muro nos dejó paso al mismo tiempo que murmuraba gangosa:

— Esta es la hospedería, hermanos.

Era la hospedería una estancia fresca, con ventanas de mohosa y labrada reja, que caían sobre el jardín. En uno de los testeros campeaba el retrato de la fundadora, que ostentaba larga leyenda al pie, y en el otro un altar con paños de cándido lino. La mortecina claridad apenas dejaba entrever los cuadros de un Vía-Crucis que se desenvolvía en torno del muro. La hermana donada llegó sigilosa a demandarme qué camino hacía y cuál era mi nombre. Yo, en voz queda y devota, como ella me había interrogado, respondí:

— Soy el marqués de Bradomín, hermana, y mi ruta acaba en esta santa casa.

La donada murmuró con tímida curiosidad:

— Si desea ver a la Madre Abadesa, le llevaré recado. Siempre tendrá que tener un poco de paciencia, pues ahora la Madre Abadesa se halla platicando con el Señor Obispo de Colima, que llegó antier.

— Tendré paciencia, hermana. Veré a la Madre Abadesa cuando sea ocasión.

— ¿ Su Merced la conoce ya ?

— No, hermana.

— Pues ahora mismo prevengo a la Madre Abadesa. Tendrá mucho contento cuando sepa que han llegado personas de tanto linaje. Ella también es muy española.

Y la hermana donada, haciendo una profunda reverencia, se alejó moviendo leve rumor de hábitos y de sandalias. Tras ella salieron los criados.

La Niña Chole llegó ante el altar, y cubriéndose la cabeza con el rebocillo, se arrodilló. Sus siervos, agrupados en la puerta de la hospedería, la imitaron, santiguándose en medio de un piadoso murmullo. La Niña Chole alzó su voz, rezando en acción de gracias por nuestra venturosa jornada. Los siervos respondían a coro. Yo, como caballero santiaguista, recé mis oraciones dispensado de arrodillarme por el fuero que tenemos de canónigos agustinos.

XII

Comenzaban los pájaros a cantar en los árboles del jardín saludando al sol. Las albahacas, húmedas de rocío, daban una fragancia intensa, casi desusada, que tenía como una evocación de serrallo morisco y de verbenas. La Niña Chole suspiró débilmente. Yo entonces le dije:

— ¿ Niña, estás triste ?

— Estoy triste porque debemos separarnos. . . . ¡ Debemos darnos un adiós !

— ¡ Niña, no digas eso ! . . . Volveremos a Veracruz. « La Dalila » quizá permanezca en el puerto. Nos embarcaremos para Grijalba. Iremos a escondernos en mi hacienda de Tixul.

La Niña Chole me acarició con una mirada larga, indefinible. Aquellos ojos de reina india eran lánguidos y brillantes: me pareció que a la vez reprochaban y consentían. Cruzó el rebocillo sobre el pecho y murmuró poniéndose encendida.

— ¡ Mi historia es muy triste !

Y para que no pudiese quedarme duda, asomaron dos lágrimas en sus ojos. Yo creí adivinar, y le dije con generosa galantería:

— No intentes contármela. Las historias tristes me recuerdan la mía.

Ella sollozó:

— Hay en mi vida algo imperdonable.

— Los hombres como yo todo lo perdonan.

Al oírme escondió el rostro entre las manos:

— He cometido el más abominable de los pecados. Un pecado del que sólo puede absolverme Nuestro Santo Padre.

Viéndola tan afligida, acaricié su cabeza, y le dije:

— Niña, cuenta con mi valimiento en el Vaticano. Yo he sido capitán de la Guardia Noble. Si quieres iremos a Roma en peregrinación, y nos echaremos a los pies de Gregorio XVI.

— Iré yo sola . . . Mi pecado es mío nada más.

— ¡ Por amor y por galantería, yo debo cometer uno igual ! . . . ¡ Acaso ya lo habré cometido !

La Niña Chole levantó hacia mí los ojos llenos de lágrimas, y suplicó:

— No digas eso . . . ¡ Es imposible !

Sonreí incrédulamente, y ella, arrancándose de mis brazos, huyó al fondo de la celda. Desde allí, clavándome una mirada fiera y llorosa, gritó:

— Si fuese verdad, te aborrecería . . .

Volvió a cubrirse el rostro con las manos, y en el mismo instante yo adiviné su pecado. Acerquéme lleno de indulgencia, le descubrí la cara húmeda de llanto, y puse en sus labios un beso de noble perdón.

La Niña Chole, conmovida de gratitud y de amor, ocultó la cabeza en mi hombro:

— ¡ Eres muy generoso !

— Niña, volveremos a Veracruz.

— No . . .

— ¿ Acaso temes mi abandono ? ¿ No comprendes que soy tu esclavo para toda la vida ?

— ¡ Toda la vida ! . . . Sería tan corta la de los dos . . .

— ¿ Por qué ?

— Porque nos mataría . . . ¡ Lo ha jurado ! . . .

— Todo será que no cumpla el juramento.

— Lo cumpliría.

Y ahogada por los sollozos se enlazó a mi cuello. Sus ojos llenos de lágrimas quedaron fijos en los míos como queriendo leer en ellos. Yo, fingiéndome deslumbrado por aquella mirada, los cerré. Ella suspiró:

— ¿ Quieres llevarme contigo sin saber toda mi historia ?

— Ya la sé.

— No.

— Tú me contarás lo que falta cuando dejemos de querernos, si llega ese día.

— Todo, todo debes saberlo ahora, aun cuando estoy segura de tu desprecio . . . Eres el único hombre a quien he querido, te lo juro, el único . . .

XIII

Las campanas del convento tocaron a misa, y la Niña Chole quiso oírla antes de comenzar la jornada.

Fué una larga misa de difuntos. Ofició Fray Lope Castellar, y en descargo de mis pecados, yo serví de acólito. Las Comendadoras cantaban en el coro los Salmos Penitenciales, y sus figuras blancas y señoriles, arrastrando los luengos hábitos, iban y venían en torno del facistol que sostenía abierto el misal de rojas capitulares. En el fondo de la iglesia, sobre negro paño rodeado de cirios, estaba el féretro de una monja. Tenía las manos en cruz, y envuelto a los dedos amoratados el rosario. Un pañuelo blanco le sujetaba la barbeta y mantenía cerrada la boca, que se sumía como una boca sin dientes. Los párpados permanecían entreabiertos, rígidos, azulencos. Las sienes parecían prolongarse inmensamente bajo la toca. Estaba amortajada en su hábito, y la fimbra se doblaba sobre los pies descalzos, amarillos como la cera . . .

Al terminar los responsos, cuando Fray Lope Castellar se volvía para bendecir a los fieles, alzáronse en tropel algunos mercenarios de mi escolta, apostados en la puerta durante la misa, y como gerifaltes cayeron sobre el presbiterio, aprisionando a un mancebo arrodillado, que se revolvió bravamente al sentir sobre sus hombros tantas manos, y luchó encorvado y rugiente, hasta que vencido por el número, cayó sobre las gradas. Las monjas, dando alaridos, huyeron del coro. Fray Lope Castellar adelantóse estrechando el cáliz sobre el pecho:

— ¿ Qué hacéis ?

Y el mancebo, que jadeaba derribado en tierra, gritó:

—¡Fray Lope!... ¡No se vende así al amigo![1]

—¡Ni tal sospeches, Guzmán![2]

Y entonces aquel hombre hizo como el jabalí herido y acosado que se sacude los alanos. De pronto 5 le vi erguido en pie,[3] revolverse entre el tropel que le sujetaba, libertar los brazos y atravesar la iglesia corriendo. Llegó a la puerta, y encontrándola cerrada, se volvió con denuedo. De un golpe arrancó la cadena que servía para tocar las campanas, y 10 armado con ella hizo defensa. Yo, admirando como se merecía tanto valor y tanto brío, saqué las pistolas y me puse de su lado[4]:

—¡Alto ahí!...

Los hombres de la escolta quedaron indecisos, y en 15 aquel momento, Fray Lope, que permanecía en el presbiterio, abrió la puerta de la sacristía, que rechinó largamente. El mancebo, haciendo con la cadena un terrible molinete, pasó sobre el féretro de la monja, rompió la hilera de cirios y ganó aquella salida. Los 20 otros le persiguieron dando gritos, pero la puerta se cerró de golpe ante ellos, y volviéronse contra mí, alzando los brazos con amenazador despecho. Yo, apoyado en la reja del coro, dejé que se acercasen, y disparé mis dos pistolas. Abrióse el grupo repentina- 25 mente silencioso, y cayeron dos hombres. La Niña Chole se levantó trágica y bella.

—¡Quietos!... ¡Quietos!...

1. *¡No... amigo!* One does not betray a friend this way!
2. *¡Ni... Guzmán!* Do not even suspect such a thing, Guzmán!
3. *De... pie,* Suddenly I saw him standing erect.
4. *Yo,... lado,* I, admiring such valor and so much courage, took out my pistols and placed myself at his side.

Aquellos mercenarios no la oyeron. Con encarnizado vocerío viniéronse para mí, amenazándome con sus pistolas. Una lluvia de balas se aplastó en la reja del coro. Yo, milagrosamente ileso, puse mano al machete: 5

—¡ Atrás!... ¡ Atrás, canalla!

La Niña Chole se interpuso, gritando con angustia:

—¡ Si respetáis su vida, he de daros harta plata!

Un viejo que a guisa de capitán estaba delante, 10 volvió hacia ella los ojos fieros y encendidos. Sus barbas chivas temblaban de cólera:

—Niña, la cabeza de Juan Guzmán está pregonada.[1]

—Ya lo sé. 15

—Si le hubiésemos entregado vivo, tendríamos cien onzas.[2]

—Las tendréis.

Hubo otra ráfaga de voces violentas y apasionadas. El viejo mercenario alzó los brazos imponiendo si- 20 lencio:

—¡ Dejad a la gente que platique![3]

Y con la barba siempre temblona, volvióse a nosotros:

—¿ Los compañeros ahí tendidos como perros, no 25 valen ninguna cosa?

La Niña Chole murmuró con afán:

—¡ Sí!... ¿ Qué quieres?

1. *la ... pregonada*, there is a price set on the head of Juan Guzmán.
2. *Si ... onzas*, If we had delivered him alive, we would have received one hundred doubloons.
3. *¡ Dejad ... platique!* Let the people talk!

— Eso ha de tratarse con despacio.[1]

— Bueno . . .

— Es menester otra prenda que la palabra.

La Niña Chole arrancóse los anillos, que parecían dar un aspecto sagrado a sus manos de princesa, y llena de altivez se los arrojó:

— Repartid eso y dejadnos.

Entre aquellos hombres hubo un murmullo de indecisión, y lentamente se alejaron por la nave de la iglesia. En el presbiterio detuviéronse a deliberar. La Niña Chole apoyó sus manos sobre mis hombros y me miró en el fondo de los ojos:

— ¡ Oh ! . . . ¡ Qué español tan loco ! ¡ Un león en pie ! . . .

Respondí con una vaga sonrisa. Yo experimentaba la más violenta angustia en presencia de aquellos dos hombres caídos en medio de la iglesia, el uno sobre el otro. Lentamente se iba formando en torno de ellos un gran charco de sangre que corría por las junturas de las losas. Sentíase el borboteo de las heridas y el estertor del que estaba caído debajo. De tiempo en tiempo se agitaba y movía una mano lívida, con estremecimientos nerviosos.

XIV

Fray Lope Castellar nos esperaba en la sacristía leyendo el breviario. Sobre el labrado arcón estaban las vestiduras plegadas con piadoso esmero. La sacristía era triste, con una ventana alta y enrejada

1. *Eso . . . despacio*, That must be carefully discussed.

oscurecida por las ramas de un cedro. Fray Lope, al vernos llegar, alzóse del escaño:

— ¡ Muertos les he creído ! ¡ Ha sido un milagro !... Siéntense. Es menester que esta dama cobre ánimos. Van a probar el vino con que celebra la misa Su Ilustrísima, cuando se digna visitarnos. Un vino de España. ¡ Famoso, famoso !... Ya lo dice el adagio indiano: Vino, mujer y bretaña, de España.

Hablando de esta suerte, acercóse a una grande y lustrosa alacena, y la abrió de par en par. Sacó de lo más hondo un pegajoso cangilón, y le olió con regalo:

— Ahora verán qué néctar. Este humilde fraile celebra su misa con un licor menos delicado.

Llenó con mano temblona un vaso de plata, y presentóselo a la Niña Chole, que lo recibió en silencio, y, en silencio también, me lo pasó a mí. Fray Lope, en aquel momento, colmaba otro vaso igual:

— ¡ Qué hace mi señora ! Si el noble Marqués tiene aquí...

La Niña Chole sonrió con languidez.

— ¡ Le acompaña usted, Fray Lope !

Fray Lope rió sonoramente: sentóse sobre el arcón y dejó el vaso a su lado:

— El noble Marqués me permitirá una pregunta: ¿ De dónde conoce a Juan de Guzmán ?

— ¡ No le conozco !...

— ¿ Y cómo le defendió tan bravamente ?

— Una fantasía que me vino en aquel momento.

Fray Lope movió la tonsurada cabeza, y apuró un sorbo del vaso que tenía a su diestra.

—¡Una fantasía! ¡Una fantasía!... Juan de Guzmán es mi amigo, y, sin embargo, yo jamás hubiera osado tanto.

La Niña Chole murmuró con altivo desdén:

— No todos los hombres son iguales...

Yo, agradecido al buen vino que Fray Lope me escanciaba, intervine cortesano:

— ¡Más valor hace falta para cantar misa! [1]

Fray Lope me miró con ojos burlones:

— Eso no se llama valor. Es la Gracia...

Hablando así, alzamos los vasos y a un tiempo les dimos fin. Fray Lope tornó a llenarlos:

— ¿Y el noble Marqués hasta ignorará quién es Juan de Guzmán?

— Ayer, cuando juntaba mi escolta en Veracruz, oí por primera vez su nombre... Creo que es un famoso capitán de bandidos.

— ¡Famoso! Tiene la cabeza pregonada.

— ¿Conseguirá ponerse en salvo?

Fray Lope juntó las manos y entornó los párpados gravemente:

— ¡Y quién sabe, mi señor!...

— ¿Cómo se arriesgó a entrar en la iglesia?

— Es muy piadoso... Además tiene por madrina a la Madre Abadesa.

En aquel momento alzóse la tapa del arcón, y un hombre que allí estaba oculto asomó la cabeza. Era Juan de Guzmán. Fray Lope corrió a la puerta y echó los cerrojos. Juan de Guzmán salió en medio de la sacristía, y con los ojos húmedos y brillantes

1. *¡Más... misa!* One needs more courage to say Mass.

quiso besarme las manos. Yo le tendí los brazos. Fray Lope volvió a nuestro lado, y con la voz temblorosa y colérica murmuró:

— ¡ Quien ama el peligro perece en él !

Juan de Guzmán sonrió desdeñosamente: 5

— ¡ Todos hemos de morir, Fray Lope !

— Bajen siquiera la voz.

Avizorador miraba alternativamente a la puerta y a la gran reja de la sacristía. Seguimos su prudente consejo, y mientras nosotros platicábamos retirados 10 en un extremo de la sacristía, en el otro rezaba medrosamente la Niña Chole.

XV

Como había dicho Fray Lope, la cabeza del famoso plateado, magnífica cabeza de aventurero español, estaba pregonada. Juan de Guzmán en el siglo XVI 15 hubiera conquistado su Real Ejecutoria de Hidalguía peleando bajo las banderas de Hernán Cortés. Acaso entonces nos dejase una hermosa memoria aquel capitán de bandoleros con aliento caballeresco, porque parecía nacido para ilustrar su nombre en las 20 Indias saqueando ciudades y esclavizando emperadores. Viejo y cansado, cubierto de cicatrices y de gloria, tornaríase a su tierra llevando en buenas doblas de oro el botín conquistado acaso en Otumba, acaso en Mangoré. ¡ Las batallas gloriosas de alto 25 y sonoro nombre ! Levantaría una torre, fundaría un mayorazgo con licencia del Señor Rey, y al morir tendría noble enterramiento en la iglesia de algún monasterio. La piedra de armas y un largo epitafio recordarían las hazañas del caballero, y muchos años después, su estatua de piedra, dormida bajo el arco sepulcral, aun serviría a las madres para asustar a sus hijos pequeños.

Yo confieso mi admiración por aquella noble abadesa que había sabido ser su madrina sin dejar de ser una santa. A mí seguramente hubiérame tentado el diablo, porque el capitán de los plateados tenía el gesto dominador y galán con que aparecen en los retratos antiguos los capitanes del Renacimiento. Era hermoso como un bastardo de César Borgia. Cuentan que, al igual de aquel príncipe, mató siempre sin saña, con frialdad, como matan los hombres que desprecian la vida, y que, sin duda por eso, no miran como un crimen dar la muerte. Sus sangrientas hazañas son las hazañas que en otro tiempo hicieron florecer las epopeyas. Hoy sólo de tarde en tarde alcanzan tan alta soberanía, porque las almas son cada vez menos ardientes, menos impetuosas, menos fuertes. ¡ Es triste ver cómo los hermanos espirituales de aquellos aventureros de Indias no hallan ya otro destino en la vida que el bandolerismo!

Aquel capitán de los plateados también tenía una leyenda de amores. Era tan famoso por su fiera bravura como por su galán arreo. Señoreaba cn los caminos y en las ventas. Con valeroso alarde se mostraba solo, caracoleando el caballo y levantada sobre la frente el ala del chambergo entoquillado de oro. El zarape blanco envolvíale flotante como alquilcel morisco. Era hermoso, con hermosura varonil y fiera. Tenía las niñas de los ojos pequeñas, tenaces y brillantes, el corvar de la nariz soberbio, las mejillas nobles y atezadas, los mostachos enhiestos, la barba de negra seda. En la llama de su mirar vibraba el alma de los grandes capitanes, gallarda y de través como los gavilanes de la espada. Desgraciadamente, ya quedan pocas almas así.

¡ Qué hermoso destino el de ese Juan de Guzmán, si al final de sus días se hubiese arrepentido y retirado a la paz de un monasterio, para hacer penitencia como San Franco de Sena !

XVI

Sin otra escolta que algunos fieles caballerangos, nos tornamos a Veracruz. « La Dalila » continuaba anclada bajo el Castillo de Ulúa, y la divisamos desde larga distancia, cuando nuestros caballos fatigados, sedientos, subían la falda arenosa de una colina. Sin hacer alto atravesamos la ciudad y nos dirigimos a la playa para embarcar inmediatamente. Poco después la fragata hacíase a la vela por aprovechar el viento que corría a lo lejos, rizando un mar verde como mar de ensueño. Apenas flameó la lona, cuando la Niña Chole, despeinada y pálida con la angustia del mareo, fué a reclinarse sobre la borda.

El capitán, con sombrero de palma y traje blanco, se paseaba en la toldilla. Algunos marineros dormitaban echados a la banda de estribor, que el aparejo dejaba en sombra, y dos jarochos que habían embarcado en San Juan de Tuxtlan jugaban al parar[1] sentados bajo un toldo de lona levantado a popa. Eran padre e hijo. Los dos flacos y cetrinos: el viejo con grandes barbas de chivo, y el mozo todavía imberbe. Se querellaban a cada jugada, y el que perdía amenazaba de muerte al ganancioso. Contaba cada cual su dinero, y musitando airada y torvamente lo embolsaba. Por un instante los naipes quedaban esparcidos sobre el zarape puesto entre los jugadores. Después el viejo recogíalos lentamente y comenzaba a barajar de nuevo. El mozo, siempre de mal talante, sacaba de la cintura su bolsa de cuero recamada de oro, y la volcaba sobre el zarape. El juego proseguía como antes.

Lleguéme a ellos y estuve viéndoles. El viejo, que en aquel momento tenía la baraja, me invitó cortésmente y mandó levantar al mozo para que yo tuviese sitio a la sombra. No me hice rogar.[2] Tomé asiento entre los dos jarochos, conté diez doblones fernandinos y los puse a la primera carta que salió. Gané, y aquello me hizo proseguir jugando, aunque desde el primer momento tuve al viejo por un redomado tahur. Su mano atezada y enjuta, que hacía recordar la garra del milano, tiraba los naipes lentamente. El mozo permanecía silencioso y sombrío, miraba al viejo de soslayo, y jugaba siempre las cartas que jugaba yo. Como el viejo perdía sin impacientarse, sospeché que abrigaba el propósito

1. *parar*, a card game.
2. *No me hice rogar*, I did not have to be coaxed.

de robarme, y me previne. Sin embargo, continué ganando.

Ya puesto el sol asomaron sobre cubierta algunos pasajeros. El viejo jarocho empezó a tener corro, y creció su ganancia. Entre los jugadores estaba aquel adolescente taciturno y bello que en otra ocasión me había disputado una sonrisa de la Niña Chole. Apenas nuestras miradas se cruzaron comencé a perder. Tal vez haya sido superstición, pero es lo cierto que yo tuve el presentimiento. El adolescente tampoco ganaba. Visto con espacio,[1] parecióme misterioso y extraño. Era gigantesco, de ojos azules y rubio ceño, de mejillas bermejas y frente muy blanca. Peinábase como los antiguos nazarenos, y al mirar entornaba los párpados con arrobo casi místico. De pronto le ví alargar ambos brazos y detener al jarocho, que había vuelto la baraja y comenzaba a tirar. Meditó un instante, y luego, lento y tardío, murmuró:

— Me arriesgo con todo. ¡ Copo ![2]

El mozo, sin apartar los ojos del viejo, exclamó:

— ¡ Padre, copa !

— Lo he oído. Ve contando ese dinero.

Volvió la baraja y comenzó a tirar. Todas las miradas quedaron inmóviles sobre la mano del jarocho. Tiraba lentamente. Era una mano sádica que hacía doloroso el placer y lo prolongaba. De pronto se levantó un murmullo:

— ¡ La sota ! ¡ La sota !

1. *Visto con espacio,* Seen leisurely.
2. *¡ Copo !* a term used in gambling, meaning to risk the entire gains on one card.

Aquella era la carta del bello adolescente. El jarocho se incorporó, soltando la baraja con despecho:

— Hijo, ve pagando[1] . . .

Y echándose el zarape sobre los hombros, se alejó. El corro se deshizo entre murmullos y comentos:

— ¡ Ha ganado setecientos doblones !

— ¡ Más de mil !

Instintivamente volví la cabeza, y mis ojos descubrieron a la Niña Chole. Allí estaba, reclinada en la borda. Apartábase lánguidamente los rizos que, deshechos por el viento marino, se le metían en los ojos, y sonreía al bello y blondo adolescente. Experimenté tan vivo impulso de celos y de cólera que me sentí palidecer. Si hubiera tenido en las pupilas el poder del basilisco, allí se quedan hechos polvo. ¡ No lo tenía, y la Niña Chole pudo seguir profanando aquella sonrisa de reina antigua ! . . .

XVII

Permanecimos toda la noche sobre cubierta. La fragata daba bordos en busca del viento, que parecía correr a lo lejos, allá donde el mar fosforecía. Por la banda de babor comenzó a esfumarse la costa, unas veces plana y otras ondulada en colinas. Así navegamos mucho tiempo. Las estrellas habían palidecido lentamente, y el azul del cielo iba tornándose casi blanco. Dos marineros subidos a la cofa de mesana, cantaban relingando el aparejo. Sonó el pito del contramaestre, orzó la fragata y el velamen flameó

1. *ve pagando*, start paying.

indeciso. En aquel momento hacíamos proa a la costa. Poco después las banderas tremolaron en los masteleros alegres y vistosas. La fragata daba vista a Grijalba, y rayaba el sol.

En aquella hora el calor era deleitante, fresca la ventolina y con olor de brea y algas. Percibíanse en el aire estremecimientos voluptuosos. Reía el horizonte bajo un hermoso sol. Ráfagas venidas de las selvas vírgenes, tibias y acariciadoras, jugaban en las jarcias y penetraba y enlanguidecía el alma el perfume que se alzaba del olaje casi muerto. A la sombra del foque, y con ayuda de un catalejo marino, contemplé la ciudad a mi talante. Grijalba, vista desde el mar, recuerda esos paisajes de caserío inverosímil, que dibujan los niños precoces: es blanca, azul, encarnada, de todos los colores del iris. Una ciudad que sonríe. Criolla vestida con trapos de primavera que sumerge la punta de sus piececillos lindos en la orilla del puerto. Algo extraña resulta, con sus azoteas enchapadas de brillantes azulejos y sus lejanías límpidas, donde la palmera recorta su gallarda silueta que parece hablar del desierto remoto, y de caravanas fatigadas que sestean a la sombra propicia.

Espesos bosques de gigantescos árboles rodean la ensenada, y entre la masa incierta del follaje sobresalen los penachos de las palmeras reales. Un río silencioso y dormido, de aguas blanquecinas como la leche, abre profunda herida en el bosque, y se derrama en holganza por la playa que llena de islas. Aquellas aguas nubladas de blanco, donde no se espeja el cielo, arrastraban un árbol desarraigado, y en las ramas medio sumergidas revoloteaban algunos pájaros de quimérico y legendario plumaje. Detrás, descendía la canoa de un indio que remaba sentado a la proa. Volaban los celajes al soplo de las brisas y bajo los rayos del sol naciente, aquella ensenada de color verde esmeralda rielaba llena de gracia, como un mar divino y antiguo habitado por sirenas y tritones.

¡ Cuán bellos se me aparecen todavía esos lejanos países tropicales ! Quien una vez los ha visto, no los olvidará jamás. Aquella calma azul del mar y del cielo, aquel sol que ciega y quema, aquella brisa cargada con todos los aromas de Tierra Caliente. Mi pensamiento rejuvenece hoy recordando la inmensa extensión plateada de ese Golfo Mexicano, que no he vuelto a cruzar. Por mi memoria desfilan las torres de Veracruz, los bosques de Campeche, las arenas de Yucatán, los palacios de Palenque, las palmeras de Tuxtlan y Laguna . . . ¡ Y siempre, siempre unido al recuerdo de aquel hermoso país lejano, el recuerdo de la Niña Chole, tal como la vi por vez primera entre el cortejo de sus servidores, descansando a la sombra de una pirámide, suelto el cabello y vestido el blanco hipil de las antiguas sacerdotisas mayas ! . . .

XVIII

Apenas desembarcamos, una turba negruzca y lastimera nos cercó pidiendo limosna. Casi acosados, llegamos al parador que era conventual y vetusto, con gran soportal de piedra, donde unas viejas caducas se peinaban. En aquel parador volví a encontrarme con los jugadores jarochos que venían a bordo de la fragata. Descubríles retirados hacia el fondo del patio, cercanos a una puerta ancha y baja por donde a cada momento entraban y salían caballerangos, charros y mozos de espuela. También allí los dos jarochos jugaban al parar, y se movían querella. Me reconocieron desde lejos, y se alzaron saludándome con muestra de gran cortesía. Luego el viejo entregó los naipes al mozo, y vínose para mí, haciendo profundas zalemas:

— Aquí estamos para servirle, señor. Si le place saber adónde llega una buena voluntad, mande no más, señor.

Y después de abrazarme con tal brío que me alzó del suelo, usanza mexicana que muestra amor y majeza, el viejo jarocho continuó:

— Si quiere tentar la suerte, ya sabe su merced dónde toparnos. Aquí demoramos. ¿Cuándo se camina, mi Señor Marqués?

— Mañana al amanecer, si esta misma noche no puedo hacerlo.

El viejo acarícióse las barbas, y sonrió picaresco y ladino:

— Siempre nos veremos antes. Hemos de saber hasta dónde hay verdad en aquello que dicen: Albur de viajero, pronto y certero.

Yo contesté riéndome:

— Lo sabremos. Esa profunda sentencia no debe permanecer dudosa.

El jarocho hizo un grave ademán en muestra de asentimiento:

—Ya veo que mi Señor Marqués tiene por devoción cumplimentarla. Hace bien. Solamente por eso merecería ser Arzobispo de México.

De nuevo sonrió picaresco. Sin decir palabra esperó a que pasasen dos indios caballerangos, y cuando ya no podían oírle, prosiguió en voz baja y misteriosa:

—Una cosa me falta por decirle. Ponemos para comienzo quinientas onzas, y quedan más de mil para reponer si vienen malas. Plata de un compadre, señor. Otra vez platicaremos con más espacio. Mire cómo se impacienta aquel manís. Un potro sin rendaje, señor. Eso me enoja... ¡Vaya, nos vemos!...

Y se alejó haciendo fieras señas al mozo para calmar su impaciencia. Tendióse a la sombra, y tomando los naipes comenzó a barajar. Presto tuvo corro de jugadores. Los caballerangos, los boyeros, los mozos de espuela, cada vez que entraban y salían parábanse a jugar una carta. Dos jinetes que asomaban encorvados bajo la puerta, refrenaron un momento sus cabalgaduras, y desde lo alto de las sillas arrojaron las bolsas. El mozo las alzó sopesándolas, y el viejo le interrogó con la mirada. Fué la respuesta un gesto ambiguo. Entonces el viejo le habló impaciente:

—Deja quedas las bolsas, manís. Tiempo hay de contar.

En el mismo momento, salió la carta. Ganaba el

jarocho, y los jinetes se alejaron. El mozo volcó sobre el zarape las bolsas, y empezó a contar. Crecía el corro de jugadores.

Llegaban los charros haciendo sonar las pesadas y suntuosas espuelas, derribados gallardamente sobre las cejas aquellos jaranos castoreños entoquillados de plata, fanfarrones y marciales. Llegaban los indios ensabanados como fantasmas, humildes y silenciosos, apagando el rumor de sus pisadas. Llegaban otros jarochos armados como infantes, las pistolas en la cinta y el machete en bordado tahalí. De tarde en tarde, atravesaba el patio lleno de sol algún lépero con su gallo de pelea: una figura astuta y maleante, de ojos burlones y de lacia greña, de boca cínica y de manos escuetas y negruzcas, que tanto son de ladrón como de mendigo.[1] Huroneaba en el corro, arriesgaba un mísero tostón y rezongando truhanerías se alejaba.

XIX

La Niña Chole se levantó al amanecer y abrió los balcones. En la alcoba penetró un rayo de sol tan juguetón, tan vivo, tan alegre, que al verse en el espejo se deshizo en carcajadas de oro. El sinsonte agitóse dentro de su jaula y prorrumpió en gorjeos. La Niña Chole, también gorjeó el estribillo de una canción fresca, como la mañana. Estaba muy bella arrebujada en aquella túnica de seda, que envolvía

1. *que . . . mendigo*, which are as much like those of a thief as those of a beggar.

en una celeste diafanidad su cuerpo de diosa. Me miraba guiñando los ojos y entre borboteos de risas y canciones besaba los jazmines que se retorcían a la reja. Con el cabello destrenzándose sobre los hombros desnudos, con su boca riente y su carne morena, la Niña Chole era una tentación. Tenía despertares de aurora, alegres y triunfantes. De pronto se volvió hacia mí con un mohín delicioso:

—¡ Arriba, perezoso! ¡ Arriba!

Al mismo tiempo salpicábame a la cara el agua de rosas que por la noche dejara en el balcón a serenar:

—¡ Arriba!... ¡ Arriba!...

Me eché de la hamaca. Viéndome ya en pie, huyó velozmente alborotando la casa con sus trinos. Saltaba de una canción a otra, como el sinsonte los travesaños de la jaula, con gentil aturdimiento, con gozo infantil, porque el día era azul, porque el rayo del sol reía allá en el fondo encantado del espejo. Bajo los balcones resonaba la voz del caballerango que se daba prisa a embridar nuestros caballos. Las persianas caídas temblaban al soplo de matinales auras, y el jazmín de la reja, por aromarlas, sacudía su caperuza de campanillas. La Niña Chole volvió a entrar. Yo la vi en la luna del tocador, acercarse sobre la punta de sus chapines de raso, con un picaresco reír de los labios y de los dientes. Alborozada me gritó al oído:

—¡ Vanidoso! ¿ Para quién te acicalas?

—¡ Para ti, Niña!

—¿ De veras?

Mirábame con los ojos entornados, y hundía los

dedos entre mis cabellos, arremolinándomelos. Luego reía locamente y me alargaba un espolín de oro para que se lo calzase en aquel pie de reina, que no pude menos de besar. Salimos al patio, donde el indio esperaba con los caballos del diestro. Montamos y partimos. Las cumbres azules de los montes se vestían de luz bajo un sol dorado y triunfal. Volaba la brisa en desiguales ráfagas, húmedas y agrestes como aliento de arroyos y yerbazales. Las copas de los cedros, iluminadas por el sol naciente, eran altar donde bandadas de pájaros se casaban, besándose los picos. La Niña Chole tan pronto ponía su caballo a galope como le dejaba mordisquear en los jarales.

Durante todo el camino no dejamos de cruzarnos con alegres cabalgatas de criollos y mulatos. Desfilaban entre nubes de polvo, al trote de gallardos potros, enjaezados a la usanza mexicana con sillas recamadas de oro y gualdrapas bordadas, deslumbrantes como capas pluviales. Sonaban los bocados y las espuelas, restallaban los látigos, y la cabalgata pasaba veloz a través de la campiña. El sol arrancaba a los arneses blondos resplandores y destellaba fugaz en los machetes pendientes de los arzones. Habían comenzado las ferias, aquellas famosas ferias de Grijalba, que se juntaban y hacían en la ciudad y en los bohíos, en las praderas verdes y en los caminos polvorientos, todo ello al acaso, sin más concierto que el deparado por la ventura. Nosotros refrenamos los caballos que relinchaban y sacudían las crines. La Niña Chole me miraba sonriendo, y me alargaba la mano para correr unidos, sin separarnos.

XX

Saliendo de un bosque de palmeras, dimos vista a una tablada tumultuosa, impaciente con su ondular de hombres y cabalgaduras. El eco retozón de los cencerros acompañaba las apuestas y decires cha-
5 lanescos, y la llanura parecía jadear ante aquel marcial y fanfarrón estrépito de trotes y de colleras, de fustas y de bocados. Desde que entramos en aquel campo, monstruosa turba de lisiados nos cercó clamorante. Ciegos y tullidos, enanos y lazarados nos
10 acosaban, nos perseguían, rodando bajo las patas de los caballos, corriendo a rastras por el camino, entre aullidos y oraciones, con las llagas llenas de polvo, con las canillas echadas a la espalda, secas, desmedradas, horribles. Se enracimaban golpeándose en
15 los hombros, arrancándose los chapeos, gateando la moneda que les arrojábamos al paso.

Y así, entre aquel cortejo de hampones, llegamos al jacal de un negro que era liberto. El paso de las cabalgaduras y el pedigüeño rezo de los mendigos
20 trájole a la puerta antes que descabalgásemos. Al vernos corrió ahuyentando con el rebenque la astrosa turba, y vino a tener el estribo de la Niña Chole, besándola las manos con tantas muestras de humildad y contento cual si fuese una princesa la que
25 llegaba. A las voces del negro acudió toda la prole. El liberto hallábase casado con una andaluza que había sido doncella de la Niña Chole. La mujer levantó los brazos al encontrarse con nosotros:

—¡ Virgen de mi alma! ¡ Los amitos!

Y tomando de la mano a la Niña Chole, hízola entrar en el jacal:

— ¡ Que no me la retueste el sol, reina mía, piñoncico de oro, que viene a honrar mi pobreza !

El negro sonreía, mirándonos con sus ojos de res enferma: ojos de una mansedumbre verdaderamente animal. Nos hicieron sentar, y ellos quedaron en pie. Se miraron, y hablando a un tiempo empezaron el relato de la misma historia:

— Un jarocho tenía dos potricas blancas. ¡ Cosa más linda ! Blancas como palomas. ¿ Sabe ? ¡ Qué pintura para la volanta de la Niña !

Y aquí fué donde la Niña Chole no quizo oír más:

— ¡ Yo deseo verlas ! ¡ Deseo que me las compres !

Habíase puesto en pie, y se echaba el rebocillo apresuradamente:

— ¡ Vamos ! ¡ Vamos !

La andaluza reía maliciosamente:

— ¡ Cómo se conoce que su merced no le satisface ningún antojico !

Dejó de sonreír, y añadió cual si todo estuviese ya resuelto:

— El amito va con mi hombre. Para la Niña está muy calurosa la sazón.

Entonces el negro abrió la puerta, y la Niña Chole me empujó con mimos y arrumacos muy gentiles. Salí acompañado del antiguo esclavo.

XXI

De un cabo al otro recorrimos la feria. Sobre el lindar del bosque, a la sombra de los cocoteros, la gente criolla bebía y cantaba con ruidoso jaleo de olés y palmadas. Reía el vino en las copas, y la guitarra española, sultana de la fiesta, lloraba sus celos moriscos y sus amores con la blanca luna de la Alpujarra. El largo lamento de las guajiras expiraba deshecho entre las herraduras de los caballos. Los asiáticos, mercaderes chinos y japoneses, pasaban estrujados en el ardiente torbellino de la feria, siempre lacios, siempre mustios, sin que un estremecimiento alegre recorriese su trenza. Amarillentos como figuras de cera, arrastraban sus chinelas entre el negro gentío, pregonando con femeniles voces abanicos de sándalo y bastones de carey. Recorrimos la feria sin dar vista por parte alguna de las tales jacas blancas. Ya nos tornábamos, cuando me sentí detenido por el brazo. Era la Niña Chole. Estaba muy pálida, y aun cuando procuraba sonreír, temblaban sus labios, y adiviné una gran turbación en sus ojos. Puso ambas manos en mis hombros y exclamó con fingida alegría:

— Oye, no quiero verte enfadado.

Colgándose de mi brazo añadió:

— Me aburría, y he salido . . . A espaldas del jacal hay un reñidero de gallos. ¿ No sabes ? ¡ Estuve allí, he jugado y he perdido !

Interrumpióse volviendo la cabeza con gracioso movimiento, y me indicó al blondo, al gigantesco adolescente, que se descoyuntó saludando:

— Este caballero tiene la honra de ser mi acreedor.

Aquellas extravagancias produjeron en mi ánimo un despecho sordo y celoso, tal, que pronuncié con altivez:

— ¿ Qué ha perdido esta señora ? 5

Habíame figurado que el jugador rehusaría galantemente cobrar su deuda, y quería obligarle con mi actitud fría y desdeñosa. El bello adolescente sonrió con la mayor cortesía:

— Antes de apostar, esta señora me advirtió que 10 no tenía dinero. Entonces convinimos que cada beso suyo valía cien onzas: Tres besos ha jugado y los tres ha perdido.

Yo me sentí palidecer. Pero cual no sería mi asombro al ver que la Niña Chole, retorciéndose las manos, 15 pálida, casi trágica, se adelantaba exclamando:

— ¡ Yo pagaré ! ¡ Yo pagaré !

La detuve con un gesto, y enfrentándome con el hermoso adolescente, le grité restallando las palabras como latigazos: 20

— Esta mujer es mía, su deuda también.

Y me alejé, arrastrando a la Niña Chole. Anduvimos algún tiempo en silencio. De pronto, ella, oprimiéndome el brazo, murmuró en voz queda:

— ¡ Oh, qué gran señor eres ! 25

Yo no contesté. La Niña Chole empezó a llorar en silencio, apoyó la cabeza en mi hombro, y exclamó con un sollozo de pasión infinita:

— ¡ Dios mío ! ¡ Qué no haría yo por ti ! . . .

Sentadas a las puertas de los jacales, indias andra- 30 josas, adornadas con amuletos y sartas de corales, vendían plátanos y cocos. Eran viejas de treinta años, arrugadas y caducas, con esa fealdad quimérica de los ídolos. Su espalda lustrosa brillaba al sol, sus senos negros y colgantes recordaban las orgías de las brujas y de los trasgos. Acurrucadas al borde del camino, como si tiritasen bajo aquel sol ardiente, medio desnudas, desgreñadas, arrojando maldiciones sobre la multitud, parecían sibilas de algún antiguo culto lúbrico y sangriento. Sus críos tiznados y esbeltos como diablos, acechaban por los resquicios de las barracas, y huroneando se metían bajo los toldos de lona, donde tocaban organillos dislocados. Mulatas y jarochos ejecutaban aquellas extrañas danzas voluptuosas que los esclavos trajeron de África, y el zagalejo de colores vivos flameaba en los quiebros y mudanzas de los bailes sagrados con que a la sombra patriarcal del baobab eran sacrificados los cautivos.

XXII

Llegamos al jacal. Yo, ceñudo y de mal talante, me arrojé sobre la hamaca, y con grandes voces mandé a los caballerangos que ensillasen para partir inmediatamente. La sombra negruzca de un indio asomó en la puerta:

— Señor, el ruano que montaba la Niña tiene desenclavada una herradura . . . ¿ Se la enclavo, señor ?

Me incorporé en la hamaca con tal violencia, que el indio retrocedió asustado. Volviendo a tenderme le grité:

— ¡ Date prisa, con mil demonios, Cuactemocín !

La Niña Chole me miró pálida y suplicante:

— No grites. ¡ Si supieses cómo me asustas ! . . .

Yo cerré los ojos sin contestar, y hubo un largo silencio en el interior oscuro y caluroso del jacal. El negro iba y venía con tácitas pisadas, regando el suelo alfombrado de yerba. Fuera se oía el piafar de los caballos y las voces de los indios, que al embridarlos, les hablaban. En el hueco luminoso de la puerta, las moscas del ganado zumbaban su monótona canción estival. La Niña Chole se levantó y vino a mi lado. Silenciosa y suspirante me acarició la frente con dedos de hada. Después me dijo:

— ¡ Oh ! . . . ¿ Serías capaz de matarme si el ruso fuese un hombre ?

— No . . .

— ¿ De matarlo a él ?

— Tampoco.

— ¿ No harías nada ?

— Nada.

— ¿ Es que me desprecias ?

— Es que no eres la Marquesa de Bradomín.

Quedó un momento indecisa, con los labios trémulos. Yo cerré los ojos y esperé sus lágrimas, sus quejas, sus denuestos, pero la Niña Chole guardó silencio, y continuó acariciando mis cabellos como una esclava sumisa. Al cabo sus dedos de hada borraron mi ceño, y me sentí dispuesto a perdonar. Yo sabía que el pecado de la Niña Chole era el eterno pecado femenino, y mi alma enamorada no podía menos de inclinarse a la indulgencia.[1] Sin duda la

1. *no . . . indulgencia*, could not help but bend to indulgence.

Niña Chole era curiosa y perversa como aquella mujer de Lot convertida en estatua de sal, pero, al cabo de los siglos, también la justicia divina se muestra mucho más clemente que antaño con las mujeres de los hombres. Sin darme cuenta caí en la tentación de mirar como una gloria linajuda aquel remoto abolengo envuelto en una leyenda bíblica, y juzgando indudable que el alto cielo perdonaba a la Niña Chole, entendí que no podía menos de hacer lo mismo el Marqués de Bradomín. Libre el corazón de todo rencor, abrí los ojos bajo el suave cosquilleo de aquellos dedos invisibles, y murmuré sonriente:

— Niña, no sé que bebedizo me has dado que todo lo olvido. . .

Ella repuso, al mismo tiempo que sus mejillas se teñían de rosa:

— Es porque no soy la Marquesa de Bradomín.

Y calló, tal vez esperando una disculpa amante, pero yo preferí guardar silencio, y juzgué que era bastante desagravio besar su mano. Ella la retiró esquiva, y en un silencio lento, sus hermosos ojos de princesa oriental se arrasaron de lágrimas. Felizmente no rodaban aún por sus mejillas, cuando el indio reapareció en la puerta trayendo a nuestros caballos del diestro, y pude salir del jacal como si nada de aquel dolor hubiese visto. Cuando la Niña Chole asomó en la puerta, ya parecía serena. Le tuve el estribo para que montase, y un instante después, con alegre y trotante fanfarria, atravesamos el real. Un jinete cruzó delante de nosotros caracoleando su caballo, y me pareció que la Niña Chole palidecía al verle y se tapaba con el rebocillo. Yo simulé no advertirlo, y nada dije, huyendo de mostrarme celoso. Después, cuando salíamos al rojo y polvoriento camino, divisé otros jinetes apostados lejos en lo alto de una loma. Y como si allí estuviesen en espera nuestra, bajaron al galope cuando pasamos faldeándola. Apenas lo advertí me detuve, y mandé detener a mi gente. El que venía al frente del otro bando daba fieras voces y corría con las espuelas puestas en los ijares. La Niña Chole, al reconocerle, lanzó un grito y se arrojó a tierra, implorando perdón con los brazos abiertos:

—¡Vuelven a verte mis ojos!... ¡Mátame, aquí me tienes! ¡Mi rey! ¡Mi rey querido!...

El jinete levantó de manos su caballo con amenazador continente, y quiso venir sobre mí. La Niña Chole lo estorbó asiéndose a las riendas desolada y trágica:

—¡Su vida, no! ¡Su vida, no!

Al ver aquella postrera muestra de amor me sentí conmovido. Yo estaba a la cabeza de mi gente que parecía temerosa, y el jinete, alzado en los estribos, la contó con sus ojos fieros, que acabaron lanzándome una mirada sañuda. Juraría que también tuvo miedo. Sin desplegar los labios alzó el látigo sobre la Niña Chole, y le cruzó el rostro. Ella todavía gimió:

—¡Mi rey!... ¡Mi rey querido!...

El jinete se dobló sobre el arzón donde asomaban las pistolas, y rudo y fiero la alzó del suelo asentándola en la silla. Después, como un raptor de los tiempos heroicos, huyó lanzándome terribles denuestos. Pálido y mudo vi como se la llevaba. Hubiera podido rescatarla, y sin embargo, no lo hice. Yo había sido otras veces un gran pecador, pero entonces al adivinar quién era aquel hombre, sentíame arrepentido. La Niña Chole pertenecía al fiero mexicano, y mi corazón se humillaba resignado. Desengañado para siempre del amor y del mundo, hinqué las espuelas al caballo y galopé hacia los llanos solitarios del Tixul, seguido de mi gente que se hablaba en voz baja comentando el suceso. Todos aquellos indios hubieran seguido de buen grado al raptor de la Niña Chole. Parecían fascinados, como ella, por el látigo del general Diego Bermúdez. Yo sentía una fiera y dolorosa altivez al dominarme. Mis enemigos, los que osan acusarme de todos los crímenes, no podrán acusarme de haber reñido a una mujer. Nunca como entonces he sido fiel a mi divisa. Despreciar a los demás y no amarse a sí mismo.

XXIII

Encorvados bajo aquel sol ardiente, abandonadas las riendas sobre el cuello de los caballos, silenciosos, fatigados y sedientos, cruzábamos la arenosa sabana, viendo eternamente en la lejanía el lago de Tixul, que ondulaba con movimiento perezoso y fresco, mojando la cabellera de los mimbrales que se reflejaban en el fondo de los remansos encantados . . . Atravesábamos las grandes dunas, parajes yermos sin brisas ni murmullos. Sobre la arena caliente se paseaban los lagartos con caduca y temblona beatitud de faquires centenarios, y el sol caía implacable requemando la tierra estéril que parecía sufrir el castigo de algún oscuro crimen geológico. Nuestros caballos, extenuados por jornada tan penosa, alargaban el cuello, que se bajaba y se tendía en un vaivén de sopor y de cansancio. Con los ijares flácidos y ensangrentados, adelantaban trabajosamente enterrando los cascos en la arena negra y movediza. Durante horas y horas, los ojos se fatigaban contemplando un horizonte blanquecino y calcinado. La angustia del mareo pesaba en los párpados, que se cerraban con modorra para abrirse después de un instante sobre las mismas lejanías muertas y olvidadas...

Hicimos un largo día de cabalgata a través de negros arenales, y tal era mi fatiga y tal mi adormecimiento, que para espolear el caballo necesitaba hacer ánimos. Apenas si podía tenerme sobre la montura. Como en una expiación dantesca, veía a lo lejos el verdeante lago de Tixul, donde esperaba hacer un alto. Era ya mediada la tarde, y los rayos del sol dejaban en las aguas una estela de oro cual si acabase de surcarlas el bajel de las hadas... Aún nos hallábamos a larga distancia, cuando advertimos el almizclado olor de los cocodrilos aletargados fuera del agua, en la playa cenagosa. La inquietud de mi caballo, que temblaba levantando las orejas y sacudiendo la crin me hizo enderezar en la silla, afirmarme y recobrar las riendas que llevaba sueltas sobre el borrén. Como la proximidad de los caimanes le

asustaba y el miedo dábale bríos para retroceder piafante, hube de castigarle con la espuela, y le puse al galope. Toda la escolta me siguió. Cuando estuvimos cerca, los cocodrilos entraron perezosa-
5 mente en el agua. Nosotros bajamos en tropel hasta la playa. Algunos pájaros de largas alas, que hacían nido en la junquera, levantaron el vuelo asustados por la zalagarda de los criados, que entraban en el agua cabalgando, metiéndose hasta más arriba de la
10 cincha. En la otra orilla un cocodrilo permaneció aletargado sobre la ciénaga con las fauces abiertas, con los ojos vueltos hacia el sol, inmóvil, monstruoso, indiferente, como una divinidad antigua.

Vino presuroso mi caballerango a tenerme el es-
15 tribo, pero yo rehusé apearme. Había cambiado de propósito, y quería vadear el Tixul sin darle descanso a las cabalgaduras, pues ya la noche se nos echaba encima.[1] Atentos a mi deseo los indios que venían en la escolta, magníficos jinetes todos ellos, me-
20 tiéronse resueltamente lago adelante: con sus picas de boyeros tanteaban el vado. Grandes y extrañas flores temblaban sobre el terso cristal entre verdosas y repugnantes algas. Los jinetes, silenciosos y casi desnudos, avanzaban al paso con suma cautela: era
25 un tropel de negros centauros. A lo lejos cruzaban por delante de los caballos islas flotantes de gigantescas nínfeas, y vivaces lagartos saltaban de unas en otras como duendes enredadores y burlescos. Aquellas islas floridas se deslizaban bajo alegre palio de
30 mariposas, como en un lago de ensueño, lenta, lenta-

1. *la noche . . . encima*, night was overtaking us.

mente, casi ocultas por el revoloteo de las alas blancas y azules bordadas de oro. El lago del Tixul parecía uno de esos jardines como sólo existen en los cuentos. Cuando yo era niño me adormecían refiriéndome la historia de un jardín así . . . ¡ También estaba sobre un lago, una hechicera lo habitaba, y en las flores, pérfidas y quiméricas, rubias princesas y rubios príncipes tenían encantamiento ! . . .

XXIV

Ya el tropel de centauros nadaba por el centro del Tixul, cuando un cocodrilo que en la otra orilla parecía sumido en éxtasis, entró lentamente en el agua y desapareció . . . No quise hacer más larga espera en la playa, y halagando el cuello de mi caballo, le fuí metiendo en la laguna paso a paso. Cuando tuvo el agua a la cincha comenzó a nadar, y casi al mismo tiempo me reconocí cercado por un copo fantástico de ojos redondos, amarillentos, nebulosos, que aparecían solos a flor de agua . . . ¡ Aquellos ojos me miraban, estaban fijos en mí ! . . . Confieso que en tal momento sentí el frío y el estremecimiento del miedo. El sol hallábase en el ocaso, y como yo lo llevaba de frente, me hería y casi me cegaba, de suerte que para esquivarle érame forzoso contemplar las mudas ondas del Tixul, aun cuando me daba vértigo aquel poder de los caimanes para no dejar fuera del agua más que los ojos de monstruos, ojos sin párpados, que unas veces giran en todos sentidos y otras se fijan con una mirada estacionaria . . . Hasta que el caballo volvió a cobrar tierra bajo el casco, lanzándose seguro hacia la orilla, no respiré sin zozobra. Mi gente esperaba tendida a lo largo, corriendo y caracoleando. Nos reunimos y continuamos la ruta a través de los negros arenales.

Se puso el sol entre presagios de tormenta. El terral soplaba con furia, removiendo y aventando las arenas, como si quisiese tomar posesión de aquel páramo inmenso todo el día aletargado por el calor. Espoleamos los caballos y corrimos contra el viento y el polvo. Ante nosotros se extendían las dunas en la indecisión del crepúsculo desolado y triste, agitado por las ráfagas apocalípticas de un ciclón. Casi rasando la tierra pasaban bandadas de buitres con revoloteo tardo, fatigado e incierto. Cerró la noche, y a lo lejos vimos llamear muchas hogueras. De tiempo en tiempo un relámpago rasgaba el horizonte y las dunas aparecían solitarias y lívidas. Empezaron a caer gruesas gotas de agua. Los caballos sacudían las orejas y temblaban como calenturientos. Las hogueras, atormentadas por el huracán, se agitaban de improviso o menguaban hasta desaparecer. Los relámpagos, cada vez más frecuentes, dejaban en los ojos la visión temblona y fugaz del paraje inhóspito. Nuestros caballos, con las crines al viento, lanzaban relinchos de espanto y procuraban orientarse, buscándose en la oscuridad de la noche bajo el aguacero. La luz caótica de los relámpagos daba a la yerma vastedad el aspecto de esos parajes quiméricos de las leyendas penitentes: desiertos de cenizas y arenales sin fin que rodean el Infierno.

Guiándonos por las hogueras, llegamos a un gran raso de yerba donde cabeceaban, sacudidos por el viento, algunos cocoteros desgreñados, enanos y salvajes. El aguacero había cesado repentinamente y la tormenta parecía ya muy lejana. Dos a tres perros salieron ladrando a nuestro encuentro, y en la lejanía otros ladridos respondieron a los suyos. Vimos en torno de la lumbre agitarse y vagar figuras de mal agüero: rostros negros y dientes blancos que las llamas iluminaban. Nos hallábamos en un campo de jarochos, mitad bandoleros y mitad pastores, que conducían numerosos rebaños a las ferias de Grijalba.

Al vernos llegar galopando en tropel, de todas partes acudían hombres negros y canes famélicos: los hombres tenían la esbeltez que da el desierto y actitudes de reyes bárbaros, magníficas, sanguinarias... En el cielo la luna, enlutada como una viuda ideal, dejaba caer la tenue sonrisa de su luz sobre la ruda y aulladora tribu. A veces entre el vigilante ladrido de los canes y el áspero vocear del pastoreo errante, percibíase el estremecimiento de las ovejas, y llegaban hasta nosotros ráfagas de establo, campesinas y robustas como un aliento de vida primitiva. Sonaban las esquilas con ingrávido campanilleo, ardían en las fogatas haces de olorosos rastrojos, y el humo subía blanco, feliz y cargado de aromas, como el humo de los rústicos y patriarcales sacrificios.

XXV

Yo veía danzar entre las lenguas de la llama una sombra femenil indecisa y desnuda: la veía, aun cerrando los ojos, con la fuerza quimérica y angustiosa que tienen los sueños de la fiebre. ¡ Cuitado de mí ! Era una de esas visiones místicas y carnales con que el diablo tentaba en otro tiempo a los santos ermitaños: yo creía haber roto para siempre las redes amorosas del pecado, y el Cielo castigaba tanta arrogancia dejándome en abandono. Aquella mujer desnuda, velada por las llamas, era la Niña Chole. Tenía su sonrisa y su mirar. Mi alma empezaba a cubrirse de tristeza y a suspirar románticamente. La carne flaca se estremecía de celos y de cólera. Todo en mí clamaba por la Niña Chole. Estaba arrepentido de no haber dado muerte al raptor, y el pensamiento de buscarle a través de la tierra mexicana se hacía doloroso: era una culebra enroscada al corazón, que me mordía y me envenenaba. Para libertarme de aquel suplicio, llamé al indio que llevaba de guía. Acudió tiritando:

— ¿ Qué mandaba, señor ?

— Vamos a ponernos en camino.

— Mala es la sazón, señor. Corren ahora muchas torrenteras.

Yo tuve un momento de duda:

— ¿ Qué distancia hay a la Hacienda de Tixul ?

— Dos horas de camino, señor.

Me incorporé violentamente:

— Que ensillen.

Y esperé calentándome ante el fuego, mientras el guía llevaba la orden y se ponía la gente en traza de partir. Mi sombra bailaba con la llama de las hogueras, y alargábase fantástica sobre la tierra negra. Yo sentía dentro de mí la sensación de un misterio pavoroso y siniestro. Quizá iba a mudar de propósito cuando un tropel de indios acudió con mi caballo. A la luz de la hoguera ajustaron las cinchas y repararon las bridas. El guía, silencioso y humilde, vino a tomar el diestro. Monté y partimos. 5

Caminamos largo tiempo por un terreno onduloso, entre cactus gigantescos que, sacudidos por el viento, imitaban rumor de torrentes. De tiempo en tiempo la luna rasgaba los tragicos nubarrones e iluminaba 10 nuestra marcha derramando tibia claridad. Delante de mi caballo volaba con silencioso vuelo, un pájaro nocturno: se posaba a corta distancia, y al acercarme agitaba las negras alas e iba a posarse más lejos lanzando un graznido plañidero que era su canto. Mi 15 guía, supersticioso como todos los indios, creía entender en aquel grito la palabra judía, y cuando oía esta ofensa que el pájaro lanzaba siempre al abrir las sombrías alas, replicaba gravemente:

— ¡ Cristiano, y muy cristiano ! 20

Yo le interrogué:

— ¿ Qué pájaro es ese ?

— El tapacaminos, señor.

De esta suerte llegamos a mis dominios. La casa mandada a edificar por un virrey, tenía el aspecto 25 señorial y campesino que tienen en España las casas de los hidalgos. Un tropel de jinetes estaba delante de la puerta. A juzgar por su atavío eran plateados. Formaban rueda, y las calabazas llenas de café corrían de mano en mano. Los chambergos bordados 30 brillaban a la luz de la luna. En mitad del camino estaba apostado un jinete: era viejo y avellanado, tenía los ojos fieros y una mano cercenada. Al acercarnos nos gritó:

— ¡ Ténganse allá !

Yo respondí de mal talante enderezándome en la silla:

— Soy el Marqués de Bradomín.

El viejo partió al galope y reunióse con los que apuraban las calabazas de café ante la puerta. Yo distinguí claramente a la luz de la luna, cómo se volvían los unos a los otros, y cómo se hablaban tomando consejo, y cómo después recobraban las riendas y partían. Cuando yo llegué, la puerta estaba franca y aún se oía el galope de caballos. El mayordomo que esperaba en el umbral adelantóse a recibirme, y tomando la montura del rendaje tornóse hacia la casa, gritando:

— ¡ Sacad acá un candil ! . . . ¡ Alumbrad la escalera ! . . .

En lo alto de la ventana asomó la forma negra de una vieja con un velón encendido:

— ¡ Alabado sea Dios que lo trujo con bien por medio de tantos peligros ! [1]

Y para alumbrarnos mejor, encorvábase fuera de la ventana y alargaba su brazo negro, que temblaba con el velón. Entramos en el zaguán y casi al mismo tiempo reaparecía la vieja en lo alto de la escalera:

— ¡ Alabado sea Dios, y cómo se le conoce la mucha nobleza y generosidad de su sangre !

1. *¡ Alabado . . . peligros !* God be praised, who brought you safely through so many dangers !

La vieja nos guió hasta una sala enjalbegada, que tenía todas las ventanas abiertas. Dejó el velón sobre una mesa de torneados pies, y se alejó:

— ¡ Alabado sea Dios, y qué juventud más galana !

Me senté, y el mayordomo quedóse a distancia contemplándome. Era un antiguo soldado de Don Carlos,[1] emigrado después de la traición de Vergara. Sus ojos negros y hundidos tenían un brillo de lágrimas. Yo le tendí las manos con familiar afecto:

— Siéntate, Brión . . . ¿ Qué tropa era ésa ?

— Plateados, señor.

— ¿ Son amigos tuyos ?

— ¡ Y buenos amigos ! . . . Aquí hay que vivir como vivía en sus cortijos de Andalucía mi señora la Condesa de Barbazón, abuela de vuecencia. José María [2] la respetaba como a una reina, porque tenía en mi señora su mejor madrina . . .

— ¿ Y esos cuatreros mexicanos tienen el garbo de los andaluces ?

Brión bajó la voz para responder:

— Saben robar . . . No les impone el matar . . . Tienen discurso . . . Y con todo no llegan a los ladrones de la Andalucía. Les falta la gracia que es al modo de la sal en la vianda.[3] ¡ Y no son los de la Andalucía más guapos en el arreo ! ¡ No es el arreo !

1. Don Carlos, brother of Ferdinand the Seventh. When the latter died in 1833, Carlos claimed the throne, although Ferdinand had left it to his own daughter Isabel. The pretentions of Carlos caused the Carlist Wars. There is still a Carlist pretender to the throne of Spain.
2. José María was a famous Andalusian bandit.
3. *Y con todo . . . vianda*, Everything considered, they are not the equals of the Andalusian bandits. They lack the artistic touch, which is like salt to food.

En aquel momento entró la vieja a decir que estaba dispuesta la colación. Yo me puse de pie, y ella tomó la luz de encima de la mesa para alumbrarme el camino.

XXVI

5 Acostéme rendido, pero el recuerdo de la Niña Chole me tuvo desvelado hasta cerca del amanecer. Eran vanos todos mis esfuerzos por ahuyentarle. Revoloteaba en mi memoria, surgía entre la niebla de mis pensamientos, ingrávido, funambulesco, tortura-
10 dor. Muchas veces, en el vago tránsito de la vigilia al sueño, me desperté con sobresalto. Al cabo, vencido por la fatiga, caí en un sopor febril, poblado de pesadillas. De pronto abrí los ojos en la oscuridad. Con gran sorpresa mía hallábame completamente
15 despierto. Quise conciliar otra vez el sueño, pero no pude conseguirlo. Un perro comenzó a ladrar debajo de mi ventana, y entonces recordé vagamente haber escuchado sus ladridos momentos antes mientras dormía. Agitado por el desvelo me incorporé en las
20 almohadas. La luz de la luna esclarecía el fondo de la estancia, porque yo había dejado abiertas las ventanas a causa del calor. Me pareció oír voces apagadas de gente que vagaba por el huerto. El perro había enmudecido, las voces se desvanecían. De
25 nuevo quedó todo en silencio, y en medio del silencio oí el galope de un caballo que se alejaba. Me levanté para cerrar la ventana. La cancela del huerto estaba abierta, y sentí nacer una sospecha, aun cuando el camino rojo, iluminado por la luna, veíase

desierto entre los susurrantes maizales. Permanecí algún tiempo en atalaya. Aquellos campos parecían muertos bajo la luz blanca de la luna. Sólo reinaba sobre ellos el viento murmurador. Sintiendo que el sueño me volvía, cerré la ventana. Sacudido por largo estremecimiento me acosté. Apenas había cerrado los ojos cuando el eco apagado de algunos escopetazos me sobresaltó. Lejanos silbidos eran contestados por otros. Volvía a oírse el galope de un caballo. Iba a levantarme cuando quedó todo en silencio. Después, al cabo de mucho tiempo, resonaron en el huerto sordos golpes de azada, como si estuviesen cavando una cueva. Debía ser cerca del amanecer, y me dormí. Cuando el mayordomo entró a despertarme, dudaba si había soñado. Sin embargo le interrogué:

— ¿ Qué batalla habéis dado esta noche ?

El mayordomo inclinó la cabeza tristemente:

— ¡ Esta noche han matado al valedor más valedor de México !

— ¿ Quién le mató ?

— Una bala, señor.

— ¿ Una bala ? ¿ De quién ?

— Pues de algún hijo de mala madre.

— ¿ Ha salido mal el golpe de los plateados ?

— Mal, señor.

— ¿ Tú llevas parte ? [1]

El mayordomo levantó hasta mí los ojos ardientes:

— Yo, jamás, señor.

La fiera arrogancia con que llevó su mano al cora-

1. *¿ Tú llevas parte ?* Do you take part ?

zón, me hizo sonreír, porque el viejo soldado de Don Carlos, con su atezada estampa y el chambergo arremangado sobre la frente, y los ojos sombríos, y el machete al costado, lo mismo parecía un hidalgo que un bandolero. Quedó un momento caviloso, y luego, manoseando la barba, me dijo:

— Sépalo vuecencia: si tengo amistad con los plateados, es porque espero valerme de ellos ... Son gente brava y me ayudarán ... Desde que llegué a esta tierra tengo un pensamiento. Sépalo vuecencia: quiero hacer emperador a Don Carlos V.

El viejo soldado se enjugó una lágrima. Yo quedé mirándole fijamente:

— ¿ Y cómo le daremos un Imperio, Brión ?

Las pupilas del mayordomo brillaron enfoscadas bajo las cejas grises:

— Se lo daremos, señor ... Y después la corona de España.

Volví a preguntarle con una punta de burla:

— ¿ Pero ese Imperio cómo se lo daremos ?

— Volviéndole estas Indias. Más difícil cosa fué ganarlas en los tiempos antiguos de Hernán Cortés. Yo tengo el libro de esa Historia. ¿ Ya lo habrá leído vuecencia ?

Los ojos del mayordomo estaban llenos de lágrimas. Un rudo temblor que no podía dominar agitaba su barba berberisca. Se asomó a la ventana, y mirando hacia el camino guardó silencio. Después suspiró:

— ¡ Esta noche hemos perdido al hombre que más podía ayudarnos ! A la sombra de aquel cedro está enterrado.

— ¿ Quién era ?

— El capitán de los plateados, que halló aquí vuecencia.

— ¿ Y sus hombres han muerto también ?

— Se dispersaron. Entró en ellos el pánico. Habían secuestrado a una linda criolla, que tiene harta plata, y la dejaron desmayada en medio del camino. Yo, compadecido, la traje hasta aquí. ¡ Si quiere verla vuecencia !

— ¿ Es linda de veras ?

— Como una santa.

Me levanté, y precedido de Brión, salí. La criolla estaba en el huerto, tendida en una hamaca colgada de los árboles. Algunos pequeñuelos indios, casi desnudos, se disputaban mecerla. La criolla tenía el pañuelo sobre los ojos y suspiraba. Al sentir nuestros pasos volvió lánguidamente la cabeza y lanzó un grito:

— ¡ Mi rey ! . . . ¡ Mi rey querido ! . . .

Sin desplegar los labios le tendí los brazos. Yo he creído siempre que en achaques de amor todo se cifra en aquella máxima divina que nos manda olvidar las injurias.

CUESTIONARIO

Chapters I to III

1. ¿ Adónde decidió ir el autor ?
2. ¿ Qué había fundado allí uno de sus antepasados ?
3. ¿ Cómo se llamaba la fragata en que embarcó ?
4. ¿ Por qué salía apenas de su camarote y no hablaba con nadie ?
5. ¿ Por qué había sido diferente su primer viaje ?
6. ¿ Qué despertaba en él un mundo de recuerdos ?
7. ¿ Cuál fué su primera escala en aguas de México ?
8. ¿ Por qué se decidió a desembarcar ?
9. ¿ Cómo se llamaba la mujer que vió en las ruinas de Tequil ?
10. ¿ Cómo vestía esta mujer ?

Chapters IV and V

1. ¿ Qué había despertado el corazón del Marqués ?
2. ¿ Quién era la Salambó de los palacios de Tequil ?
3. ¿ Cuándo llegaron a San Juan de Tuxtlan ?
4. ¿ Quién se le acercó cuando bajó solo a la playa ?
5. ¿ Qué llegó de pronto a su oído ?
6. ¿ Qué tenía el indio en la mano ?
7. ¿ Qué aspecto tenía una barraca que se veía allá lejos ?

8. ¿ Estaba el indio dispuesto a saltar sobre él ?
9. ¿ Llevaba el Marqués armas ?
10. ¿ Quién iba en el bote de la fragata ?

Chapters VI and VII

1. ¿ Qué hizo el Marqués cuando llegó a la fragata ?
2. ¿ Qué clase de perfume usaba la Niña Chole ?
3. ¿ Por qué se despertó el Marqués con sus nervios vibrantes ?
4. ¿ Quién estaba en el esquife que tocó la escalera de la fragata ?
5. ¿ Permaneció la Niña Chole retirada en su camarote ?
6. ¿ Quién era Nieves Agar ?
7. ¿ Cuándo pudo la fragata doblar la Isla de Sacrificios y dar fondo en aguas de Veracruz ?
8. ¿ Por qué tenía el Marqués la memoria llena de recuerdos históricos ?
9. ¿ Quién era el aventurero extremeño que puso fuego a sus naves ?
10. Apenas anclaron, ¿ qué salió en tropel de la ribera ?

Chapters VIII and IX

1. ¿ Quién es Julio César ?
2. ¿ Qué quería ver la Niña Chole ?
3. ¿ Cómo perdió el negro la vida ?
4. ¿ Quién se sentó al lado del Marqués ?
5. ¿ Por qué arrojó la Niña Chole varias monedas al agua ?
6. ¿ Qué duda cruel le mordió el corazón al Marqués cuando desapareció la Niña Chole ?

7. ¿ Cuándo desembarcó el Marqués en Veracruz ?
8. ¿ De qué tuvo miedo ?
9. ¿ Había sentido otras veces ese mismo terror de amar ?
10. ¿ Qué le envió la Niña Chole al Marqués desde la puerta de la iglesia ?

Chapters X and XI

1. ¿ Cuántas horas esperaba detenerse el Marqués en Veracruz ?
2. ¿ Por qué era peligroso entonces aventurarse en los caminos mexicanos ?
3. ¿ Quién apareció de pronto en el patio ?
4. ¿ A dónde va la Niña Chole ? ¿ Y el Marqués ?
5. ¿ Cuáles son los dos bandos en que se dividen los españoles ?
6. ¿ Dónde harán parada el Marqués y la Niña Chole ?
7. ¿ Quién es el general Diego Bermúdez ?
8. ¿ Dónde se detuvieron para pedir hospedaje ?
9. ¿ Quién llegó a las puertas pesadas cuando llegaron el Marqués y la Niña Chole ?
10. ¿ Por qué no se arrodilló el Marqués cuando rezó sus oraciones ?

Chapters XII to XIV

1. ¿ Por qué está triste la Niña Chole ?
2. ¿ Dónde dice el Marqués que irán a esconderse ?
3. ¿ Quién ha sido capitán de la Guardia Noble ?
4. ¿ Quería llevar a la Niña Chole con él sin saber su historia ?
5. ¿ Qué quería oír la Niña Chole antes de comenzar la jornada ?

6. ¿ Quién sacó las pistolas y se puso del lado de Guzmán ?
7. ¿ Por qué era pregonada la cabeza de Juan de Guzmán ?
8. ¿ Quién esperaba al Marqués y a la Niña Chole en la sacristía ?
9. ¿ De dónde conocía el Marqués a Juan de Guzmán ?
10. ¿ Cuándo oyó el Marqués por primera vez el nombre de Juan de Guzmán ?

Chapters XV to XVII

1. ¿ Quién tenía el gesto dominador y galán ?
2. ¿ Quién mató siempre con frialdad, como matan los hombres que desprecian la vida ?
3. ¿ Qué vibraba en el alma de Juan de Guzmán ?
4. ¿ Qué devisó el Marqués cuando su caballo subía la falda arenosa de una colina ?
5. ¿ Quiénes jugaban al parar, sentados bajo un toldo de lona levantado a popa ?
6. ¿ A quién vió el Marqués, cuando instintivamente volvió la cabeza ?
7. ¿ Qué pueblo, visto desde el mar, recuerda esos paisajes que dibujan los niños precoces ?
8. ¿ Qué rodean la ensenada?
9. ¿ Qué países una vez vistos no se olvidan jamás ?
10. ¿ Cómo va a recordar siempre a la Niña Chole ?

Chapters XVIII to XX

1. ¿ Dónde volvió el Marqués a encontrarse con los jugadores jarochos ?

2. ¿ Cuándo iba a partir el Marqués ?
3. ¿ Quiénes llegaban armados como infantes ?
4. ¿ Cuándo se levantó la Niña Chole y abrió los balcones ?
5. ¿ Qué dijo la Niña Chole cuando se volvió hacia el Marqués ?
6. ¿ Para quién se acicalaba el Marqués ?
7. ¿ Con quiénes no dejaron de cruzar durante todo el camino ?
8. ¿ Habían comenzado las famosas ferias de Grijalba ?
9. ¿ Quién vino a tener el estribo de la Niña Chole ?
10. ¿ Cómo eran los ojos del negro ?

Chapters XXI to XXIII

1. ¿ Qué hacía la gente criolla a la sombra de los cocoteros ?
2. ¿ Qué había a espaldas del jacal ?
3. ¿ Quién tenía la honra de ser el acreedor de la Niña Chole ?
4. ¿ Cuánto valía cada beso de la Niña Chole ?
5. ¿ Por qué dice el Marqués que no desprecia a la Niña Chole ?
6. ¿ Quién era curiosa y perversa como la mujer de Lot?
7. ¿ Ya parecía serena la Niña Chole cuando asomó en la puerta ?
8. ¿ Quién daba fieras voces y corría con las espuelas puestas en los ijares de su caballo ?
9. ¿ Qué gimió la Niña Chole cuando el jinete alzó el látigo y le cruzó el rostro ?
10. ¿ Cómo parecía el lago del Tixul ?

Chapters XXIV to XXVI

1. ¿ Sintió frío el Marqués cuando aquellos ojos le miraban ?
2. ¿ Cómo pasaban las bandas de buitres ?
3. ¿ Estaba arrepentido el Marqués de no haber dado muerte al raptor de la Niña Chole ?
4. ¿ Qué clase de pájaro nocturno volaba lanzando un graznido plañidero ?
5. ¿ Qué aspecto tenía la casa del Marqués ?
6. ¿ Qué dijo el mayordomo que esperaba en el umbral ?
7. ¿ Por qué no podía dormir bien el Marqués ?
8. ¿ Quién mató al valedor más valedor de México ?
9. ¿ Quién era la linda criolla que habían secuestrado los plateados ?
10. ¿ Qué dijo la Niña Chole cuando vió al Marqués ?

VOCABULARY

This vocabulary is intended to be complete with the exception of the following: (1) a few words that have the same form and meaning in Spanish and English; (2) adverbs in **-mente** that have no change in meaning from listed adjectives; (3) past participles of regular verbs whose infinitives are listed.

A

a to; at; **al** + *infin.* on
abadesa *f.* abbess
abandonar to abandon, forsake
abandono *m.* abandonment
abanicazo *m.* blow (*with a fan*)
abanico *m.* fan
abate *m.* abbé, abbot
abigarrado motley, variegated
abismo *m.* gulf, abyss
abolengo *m.* ancestry, lineage
abominable abominable, detestable
aborrecer to hate
abrasador burning
abrasar to burn; glow
abrazar to embrace
abrigar to shelter; cherish
abrileña like April
abrir to open
absolver to aquit, absolve
abuela *f.* grandmother
abuelo *m.* grandfather
abultado thick, bulky
aburrirse to be bored
acabar to end, finish; — **de** have just
acariciador caressing, fondling
acariciar to caress
acaso perhaps; by chance; **al** — by chance
acatar to respect; yield to; obey
acción *f.* action; sign
acechanza *f.* trap, ambush
acechanzo *m.* spy
acechar to spy, peer
acercarse to draw near, approach
acero *m.* steel
acertar to succeed
acicalarse to adorn
acoger to receive; shelter
acólito *m.* assistant; altar boy
acometer to attack
acompañar to accompany
acompasado rhythmic
acordar to remember, recall
acosar to pursue; vex, harass
acostarse to lie down; go to bed

acreedor *m.* creditor
actitud *f.* attitude, manner
acudir to come; attend
acurrucarse to crouch, squat
acusar to accuse
achaque *m.* matter, affair
adagio *m.* proverb, saying
adelantar to approach, advance
adelante forward
ademán *m.* gesture; look
además de besides
adentro within, inside
adiós good-bye
adivinar to guess, imagine
admirar to admire
adolescente *m.* adolescent, youngster
¿adónde? where?
adoptar to adopt
adormecer to lull, calm; **—se** drowse
adormecimiento *m.* sleepiness, drowsiness
adornar to adorn
adquirir to acquire
aduar *m.* gypsy camp
advertir to advise, warn; instruct; notice
afán *m.* anxiety, eagerness
afecto *m.* fondness
afición *f.* affection, fondness
afirmar to secure, fasten
afligirse to grieve
afortunadamente fortunately
africano African
afrodita exciting
agarrar to grasp, take hold of
agitar to wave, flutter; stir; disturb
agolparse to crowd
agradecer to be grateful
agrandar to enlarge
agreste rustic, wild
agrupar to cluster, group
agua *f.* water
aguacero *m.* shower
agudo sharp
agüero *m.* omen
agustino Augustine
ahí there
ahogar to drown; stifle
ahora now
ahuehuetle *m. a Mexican tree*
ahuyentar to drive away; overcome
airado angry
aire *m.* air; melody, tune
airón *m.* aigret; crest
ajetreo *m.* fatigue
ajustar to adjust, fit; settle; bargain
ala *f.* wing
alabar to praise
alabastro *m.* alabaster
alacena *f.* cupboard
alano *m.* large mastiff
alarde *m.* vanity; ostentation
alargar to extend; lengthen, stretch out
Alarico *king of Visigoths who pillaged Rome*
alarido *m.* scream, shout
alazano sorrel-colored
alba *f.* dawn
albahaca *f.* sweet basil
albo white; pure
alborotar to disturb, agitate
alborozar to gladden, exhilarate
albur *m.* risk, chance

alcanzar to succeed in; reach
alcoba *f.* bedroom
aldea *f.* village
alegre gay
alegría *f.* joy
Alejandría Alexandria
alejarse to draw away, move away
aletargado slow, lethargic
aletear to flutter
aleteo *m.* fluttering (*of wings*)
alfombrar to carpet
alforja *f.* saddlebag; knapsack
alga *f.* seaweed
algarabía *f.* chattering; din
algo *n.* something; *adv.* somewhat
algún (alguno) somebody; whatsoever; *pl.* a few, some
aliento *m.* breath; bravery
alma *f.* soul
almizclar to perfume with musk
almizcle *m.* musk
almohada *f.* pillow
alojamiento *m.* lodging
Alpujarra *mountainous section of Andalusia*
alquilcel *m.* cloak
alternativamente alternately
altivez *f.* arrogance, pride
altivo haughty
alto *m.* (command to) stop; **hacer un** — to stop
alto high, tall; top; **¡alto!** stop!
altura *f.* height, altitude
alumbrar to light up
alzar to raise; lift; **—se** rise
allá there
allí there
amable amiable; kind
amado *m.* beloved
amago *m.* threat
amanecer *m.* daybreak, dawn
amante *m.* lover
amar to love
amargo bitter
amarillento yellowish
amarillo yellow
ambiente *m.* atmosphere
ambiguo doubtful, uncertain
ambos both
amedrentado frightened
amenazador menacing
amenazar to threaten
americano *m.* American (*a native of any of the Americas*)
amigo *m.* friend
amito *m. dim. of* **amo** master
amor *m.* love
amoratado livid
amoroso amorous
amortajar to shroud
amortiguar to soften
amuleto *m.* amulet, charm
amurallado walled in
anciana *f.* old woman
anciano *m.* old man; *adj.* old, ancient
ancla *f.* anchor
anclar to anchor
ancho wide
anchuroso wide
andaluz *m.* Andalusian (*a native of the province of Andalusia, in southern Spain*)
andar *m.* walk
andar to walk; move; **¡ándele!** get a move on; **— el tiempo** time passing

andrajoso ragged
ánfora *f.* cruet (*a small glass pitcher*)
angelete *m.* large angel
angustia *f.* anguish
angustioso full of anguish
anidar to nest; dwell
anillo *m.* ring
animar to encourage
ánimo *m.* courage; gesture; effort
ansia *f.* longing, eagerness
ansiedad *f.* anxiety
antaño long ago
ante before
antepasado *m.* ancestor
antes before; — **que** before
antier day before yesterday
antiguo ancient, old; former
Antillas Antilles, West Indies
antojico *m. dim. of* **antojo** whim
anunciar to announce
añadir to add
año *m.* year
apagar to extinguish; hush
aparecer to appear
aparejo *m.* rigging of a ship
apartar to withdraw; separate
apasionado devoted; passionate
apearse to dismount
apenas scarcely
apercibir to warn; be ready
apetecer to like; be desirable; suit
aplastar to flatten
aplaudir to applaud
aplauso *m.* applause
aplicar to apply
apocalíptico apocalyptic
apostar to bet; post soldiers
apoyarse to rest; lean
aprender to learn
apresuradamente hastily
apretar to tighten
aprisionar to imprison
aprobar to approve
aprovechar to profit by; take advantage of
aproximarse to approach, draw near
apuesta *f.* bet, wager
apuntar to hint; prompt
apuñalear to stab
apurar to consume, drain
aquel that
aquello that; the fact that
aquí here; — **merito** right here
aquilatar to assay; appraise
árabe Arab
árbol *m.* tree
arco *m.* arch; arc
arcón *m.* chest
arder to burn
arena *f.* sand
arenal *m.* sandy ground
arenoso sandy
argentado silvery
argentar to polish like silver
arma *f.* weapon; —**s** coat of arms
armar to arm
armenio *m.* Armenian
arnés *m.* harness
aroma *m.* fragrance, perfume
aromado fragrant
aromar to perfume
arte *m.* art

arzón *m.* saddletree
arrancar to tear off; uproot
arrasar to fill; raze *or* demolish
arrastrar to drag
arrayán *m.* myrtle tree
arrebujar to wrap
arredrar to terrify, scare
arremangado turned up (*as a sleeve*)
arremolinar to twist, whirl
arreo *m.* dress; ornament
arrepentirse to repent, regret
arriar to run down (*a flag*); **arríe la plata** "loosen up," hand over the money
arriba up, above
arribar to arrive; reach
arriesgar to risk; **—se** dare
arrobo *m.* ecstasy; mystic trance; bliss
arrodillar to kneel
arrogancia *f.* arrogance
arrojar to fling, throw
arroyo *m.* brook, stream
arrugar to wrinkle; get angry
arrullo *m.* murmur; lullaby
arrumaco *m.* fondling
asaltar to storm, assail
asegurar to assure
asentar to seat, place
asentimiento *m.* assent
asesinar to murder
así so; thus
asiático *m.* Asiatic
asiento *m.* seat, chair
asir to seize; hold
Asiria *f.* Assyria
asistir to attend
asomar to appear; show
asombro *m.* surprise
aspecto *m.* aspect, look
áspero harsh; rude
aspirar to breathe
astroso vile
astuto cunning, sly
asustadizo shy; easily frightened, frightened
asustar to frighten
Atalá *the heroine of Chateaubriand's romance "Atala"*
atalaya *m.* guard
ataque *m.* attack
atardecer *m.* fall of evening
ataviar to dress; adorn
atavío *m.* dress; finery
atender to notice, watch
atento attentive
atezado dark; weather-beaten
atisbar to pry; watch
atormentar to disturb
atraer to attract, draw
atrás back
atravesar to cross
aturdimiento *m.* confusion; bewilderment
augusto magnificent
aullador howling
aullar to howl
aullido *m.* howl
aun still; even; yet; **— cuando** even though, notwithstanding
aunque although
aura *f.* gentle breeze
aurora *f.* dawn
avanzar to advance
avaro miserly
ave *f.* bird
avecinar to approach

avellanado nut-brown
ave María Purísima hail Holy Mary
avenida *f.* avenue
aventar to fan; breathe hard
aventurar to venture
aventurero *m.* adventurer; *adj.* adventurous
averiguar to ascertain
avivar to enliven; sharpen
avizorado watchfully; spying; watching
avizorar to watch; spy
ayer yesterday
ayuda *f.* aid
ayudar to help, aid
ayunar to fast
azada *f.* spade
azafata *f.* lady in waiting, maid
azafrán *m.* saffron
azafranado saffronlike
azorado stunned
azotea *f.* flat roof
azteca *m.* Aztec
azul blue
azulado bluish
azulejo *m.* glazed tile
azulenco azure, bluish

B

babélico like bedlam
babor *m.* port (*side of a ship*)
bailar to dance
baile *m.* dance
bajar to descend; lower
bajel *m.* ship, vessel
bajo low; under, beneath
bala *f.* bullet
balancear to balance
balcón *m.* balcony
baldeo *m.* washing of decks
balearse to exchange shots
banca *f.* bench
banda *f.* border, edge; side (*of a ship*)
bandada *f.* flock
bandeja *f.* tray
bandera *f.* flag
bandido *m.* thief, bandit
bando *m.* party, group
bandolerismo *m.* banditry
bandolero *m.* bandit
bañar(se) to bathe
baobab *m.* baobab (*a large tropical tree*)
baraja *f.* deck (*of cards*)
barajar to deal
barandal *m.* railing
barba *f.* beard; chin; — **de chiva** goatee; — **de azafrán** saffron-colored beard
bárbaro *m.* barbarian
barbeta *f.* barbat (*part of a nun's hood*)
Barbey D'Aurevilly, Jules (1808–1889) *French author*
barbilindo *m.* dandy; *adj.* effeminate
barca *f.* boat
barnizar to varnish
barquero *m.* boatman, pilot
barraca *f.* hut, cabin
basilisco *m.* basilisk (*a fabulous serpent whose glance was fatal*)
bastante enough; rather
bastar to suffice, be enough
bastardo *m.* illegitimate son
bastón *m.* walking cane

batalla *f.* battle
batir to strike; beat; stamp (*with foot*)
beatitud *f.* holiness
bebedizo *m.* love potion
beber to drink
belfo *m.* thick underlip of a horse
belleza *f.* beauty
bello beautiful, fair
bendecir to bless
bendito holy
benévelo kind, benevolent
berberisco *m.* Berber (*a white native of North Africa*)
bermejo bright reddish
besar to kiss
beso *m.* kiss
bíblico Biblical
bien well; **no** — hardly
bienvenida *f.* welcome
bigote *m.* mustache
blanco white
blando soft
blanquear to bleach; appear white
blanquecino whitish
blondo light; blonde
blusa *f.* shirt, blouse
boca *f.* mouth
bocado *m.* bit (*of a bridle*)
bochorno *m.* scorching heat
bochornoso stifling, sultry
bogada *f.* rowing
bohío *m.* hut
bolsa *f.* bag, pouch, purse
bonanza *f.* fair weather
boqueada *f.* last gasp
boquear to gasp; breathe one's last
borboteo *m.* bubbling
borda *f.* gunwale
bordar to embroider
borde *m.* border, edge
bordo *m.* side (*of a ship*); **a** — on board; **dar** — to change course of vessel while seeking the wind; **segundo de a** — second in command
bordón *m.* staff
Borgia, César (1476–1507) *an Italian soldier of fortune, son of Pope Alexander VI, famous character in Italian history*
borrar to erase; disappear
borrarse to cloud
borrén *m.* saddletree
borroso thick; muddy; faint
bosque *m.* woods, forest
bote *m.* small skiff, boat
botín *m.* booty, spoils (*of war*)
boyero *m.* ox driver
bravamente gallantly, bravely; fiercely
bravo *m.* warrior
bravura *f.* boldness; bravery
brazo *m.* arm
brea *f.* tar
bretaña *f.* fine linen
breve brief
breviario *m.* breviary, prayer book
brida *f.* bridle; rein
brillante brilliant, bright
brillar to shine
brillo *m.* glint, luster, brightness
brío *m.* vigor; courage

brisa *f.* breeze
bronce *m.* bronze
bronceado bronzed
broncíneo bronzelike
broquel *m.* shield, buckler
bruja *f.* witch, hag
bruñir to burnish
bucear to search (*under water*)
bueno good
buitre *m.* vulture
bula *f.* papal bull
bulto *m.* object; form
bullir to boil
burla *f.* mockery
burlesco comical, funny
burlón jesting, scoffing, mocking
busca *f.* search
buscar to seek, search for
busto *m.* breast

C

cabal exact
cabalgadura *f.* beast of burden
cabalgar to mount, ride
cabalgata *f.* cavalcade
caballerango *m.* stableman
caballeresco noble; chivalrous
caballero *m.* gentleman; knight
caballo *m.* horse
cabecear to nod; move
cabellera *f.* top; hair, head of hair
cabello *m.* hair
cabeza *f.* head
cable *m.* cable
cabo *m.* end; **al —** finally
cabrillear to form whitecaps
cadena *f.* chain
cadera *f.* hip
caduco old, frail
caer to fall
café *m.* coffee
caimán *m.* alligator
calabaza *f.* gourd
calcinado calcined
calentar to warm
calenturiento feverish
cálido hot
caliente warm
cáliz *m.* calyx; chalice
calma *f.* calm
calmar to calm
calor *m.* heat
caluroso warm
calzar to put on, wear
callar to be quiet
calle *f.* street
cámara *f.* cabin (*of a ship*); hall; room
camarote *m.* stateroom
cambiar to change; exchange
cambio *m.* change; **a — de** in place of
caminante *m.* traveler
caminar to walk, move along; travel
camino *m.* road; way; **— de** toward
campanario *m.* belfry
campanilla *f.* bell-shaped flower
campanilleo *m.* tinkling
campear to be prominent
Campeche *a Mexican state in the southern section of the Yucatan Peninsula*
campesino *m.* rustic person; *adj.* country
campiña *f.* field; country

campo *m.* field; countryside
can *m.* dog
cana *f.* white hair
canalla *f.* rabble; swine
cancela *f.* front door grating
canción *f.* song
cándido guileless, candid; white
candil *m.* oil lamp
cangilón *m.* tankard (*for wine*)
canilla *f.* leg *or* arm
canoa *f.* canoe
canónigo *m.* canon (*church officer*)
cansancio *m.* weariness, fatigue
cansar to bore; tire
cantante *m.* singer
cantar to sing; praise
cantarilla *f.* small pitcher
canto *m.* song
caña *f.* cane; reed; — **dulce** sugar cane
cáñamo *m.* hemp
caótico chaotic
capa *f.* cape; — **pluvial** rain cape
capaz capable
capellán *m.* chaplain, clergyman
caperuza *f.* pointed end
capitán *m.* captain
capitular *m.* pertaining to chapter headings
capricho *m.* caprice, whim
cara *f.* face
caracolear to wheel about (*said of a horse*)
caravana *f.* caravan
carbón *m.* coal; *adj.* coal black
carcajada *f.* outburst of laughter
carcelero *m.* jailer, warden
carey *m.* tortoise; tortoise shell
cargado loaded; full; heavy
caricia *f.* caress
Carlos V (1788–1855) *younger brother of Ferdinand VII. In 1833, after Ferdinand's death, he refused to recognize Isabel as queen, and proclaimed himself king of Spain. This started the Carlist Wars.*
carne *f.* flesh
Carón Charon (*the pilot at the river Styx*)
Caronte *another name for Charon*
carta *f.* letter; card
carrera *f.* dash, run
casarse (con) to marry
casco *m.* saddletree; hoof; crown (*of a hat*)
caserío *m.* settlement
casi almost
caso *m.* instance; occasion
castañuela *f.* castanet
castigar to punish
castigo *m.* punishment
castillo *m.* castle
castizo pure
castoreño made of beaver
catalejo *m.* telescope
catar to bear in mind
catear to examine; watch
causa *f.* cause; **a — de** because of
causar to cause
cautela *f.* caution; cunning
cautivar to capture; captivate
cautivo *m.* captive

cavar to dig
caviloso cross, ill-tempered; hesitant
cazar to hunt, chase
cedro *m.* cedar
céfiro *m.* zephyr
cegar to blind
ceja *f.* eyebrow
celaje *m.* light scudding cloud
celda *f.* cell
celebrar to celebrate
celeste heavenly
celos *m.* jealousy
cementerio *m.* cemetery
cenagoso miry, marshy
cencerro *m.* bell (*on a halter*)
ceniza *f.* ash
centauro *m.* centaur
centén *m. a Spanish gold coin*
centenar *m.* a hundred
centenario secular; centenary
ceño *m.* frown; gloomy aspect; hair
ceñudo frowning; grim
cera *f.* wax
cercano near; close
cercar to surround; circle
cercenar to clip; cut down; cut off
cereza *f.* cherry
cernir to soar
certero sure
cerrar to close; block
cerrejo *m.* bolt
cesar to cease
cetrino lemon-colored; melancholy
cetro *m.* scepter
cicatriz *m.* scar
ciclón *m.* cyclone
ciclópeo Cyclopean; massive
ciego blind
cielo *m.* sky
cien(to) one hundred
ciénaga *f.* marsh
cierto certain; — **que** of course
cifrar to depend upon; inclose
cigarro *m.* cigar
cincha *f.* girth cinch
cínico *m.* cynic
cínife *m.* mosquito
cinta *f.* belt
cintura *f.* waist
cirio *m.* candle
cisne *m.* swan
ciudad *f.* city
ciudadela *f.* citadel, fortress
civilización *f.* civilization
clamar to cry out; clamor; — **por** demand; want
clámide *m.* short cape
clamorante clamoring
claramente clearly
claridad *f.* light; clearness
clásico classic
claustro *m.* cloister; gallery
clavar to nail; gore, pierce
clavetear to garnish, decorate
clemente merciful
cobrar to cover; recover; collect; — **ánimo** take courage
cobrizo copper-colored
coco *m.* coconut
cocodrilo *m.* crocodile
cocotero *m.* coconut tree
cofa *f.* (*naut.*) top of lower masts
cofrecillo *m.* small chest
colación *f.* luncheon

colera *f.* anger
colérico angry
colgante hanging
colgar to hang
colina *f.* hill
colmar to fill to the brim
coloquio *m.* talk
color *m.* color; red; — **vivo** bright color
coloradota reddish
colorear to redden; color
colosal huge
coloso colossus
collera *f.* horse collar
Comandera santiaguista *Lady Commander of the Order of St. James, a famous Spanish order of knights*
comedia *f.* play; farce
comento *m.* comment
comenzar to begin
cometer to commit
comienzo *m.* beginning, start; **dió** — began
como as; like; **¿cómo?** how?
compadecer to pity
compadre *m.* friend
compañero *m.* companion, pal
comparación *f.* comparison
compás *m.* measure; rhythm; — **de pie** rhythm
complacer to please
completamente completely, entirely
componer to compose; repair; —**se** be made up of, be composed of
comprar to buy
comprender to understand
comunicar to communicate
con with; — **todo** despite everything
conceder to grant, concede
concierto *m.* order, arrangement
conciliar to regain
concisión *f.* conciseness
concluir to conclude, finish
concha *f.* conch, shell
conducir to convey, carry
confesarse to confess
configuración *f.* configuration
confitura *f.* confection, sweets
confundir to jumble, mingle; confuse
confuso confused; indistinct
conmigo with me
conmover to touch; stir up
conocer to know; be acquainted with; **¿de qué conoce a . . . ?** how do you know?
conquistador *m.* conqueror
conquistar to conquer
conseguir to attain, get
consejo *m.* advice, counsel
consentir to consent
conservar to keep
considerar to consider
consolar to console, soothe
constituir to constitute
contar to tell, narrate; count
contemplación *f.* contemplation
contemplar to view, look upon
contemplativo studious; contemplative
contento *m.* pleasure
contestar to answer
contigo with you
continente *m.* countenance

continuado continuous
continuar to continue
contorno *m.* outline, contour
contra against
contramaestre *m.* boatswain
contrición *f.* contrition
convenir to agree; suit
convento *m.* convent
conventual monastic
convertir to convert; **—se** become
copa *f.* treetop; cup
copar to wager on a card a sum equal to that of an opponent
copo *m.* group; *a gambling term meaning to risk all on one card*
corazón *m.* heart
cordillera *f.* mountain range
coro *m.* chorus; **a — de** together
corona *f.* crown
correr to run; **— tierras** travel
corrido experienced
corro *m.* group of spectators
cortejo *m.* court; homage; sweetheart; group
cortés courteous
Cortés, Hernán (1485–1547) *conqueror of Mexico, who reached what is now Veracruz in 1519. Through great stratagem and audacity he overthrew Montezuma, giving Spain great wealth.*
cortesana *f.* courtesan; *adv.* courteously; *adj.* courtly
cortesanía *f.* courtesy, politeness
cortesía *f.* courtesy
cortijo *m.* farm; estate
cortina *f.* curtain
corto short
corvar *m.* arch; hook; curve
cosa *f.* thing
cosquilleo *m.* tickling
costa *f.* coast
costado *m.* side (*of a vessel*)
crecer to grow
creer to believe
crepúsculo *m.* twilight
crespo curly
criado *m.* servant
criatura *f.* child
crimen *m.* crime
crin *m.* mane
crío *m.* offspring
criolla *f.* creole
cristal *m.* glass; window
cristalino clear
cristiano *m.* Christian
crueldad *f.* cruelty
cruz *f.* cross
cruzar to cross
cuadrilla *f.* band (*of armed men*)
cuadro *m.* picture
cual which; **— siempre** as always; **¿cuál?** (*interrog.*) what? which?
cualquiera anyhow, anyone
¡cuán! (*exclam.*) how!
cuando when; during; **aun —** even though, notwithstanding
cuanto as much as; **— antes** as soon as possible; **¿cuántas?** how many?
cuatrero *m.* rustler, horse thief
cuatro four
cubierta *f.* deck

cubrir to cover
cuchillo *m.* knife
cuello *m.* throat, neck
cuenta *f.* account
cuento *m.* tale
cuerda *f.* rope, cable
cuero *m.* leather
cuerpo *m.* body
cueva *f.* cave
cuidado *m.* care; sadness
cuita *f.* grief, trouble
cuitado unfortunate, wretched
culebra *f.* snake
culto *m.* cult; religion
cumbre *f.* summit, crest
cumplimentar to carry out, fulfill
cumplir to execute, fulfill; befit
cura *m.* priest
curioso curious
curtido tanned; accustomed
cuyo whose

Ch

chalán *m.* horse dealer
chalanesco rough
chambergo *m.* soft hat with wide brim
chamuscado scorched
chaparro *m.* bramblebush
chapeo *m.* hat
chapín *m.* slipper
chapoteo *m.* splashing, splattering
chapurrear to speak imperfectly, jabber
charco *m.* pool, puddle
charro *m.* ill-bred person; horseman; type of dress worn by men
chato flat
¡ ché ! hey !
chinela *f.* clog; slipper
chinita *f.* girl (*term of endearment*)
chino *m.* Chinese
chispa *f.* spark
chiva *f.* female goat; "goatee"
chivo *m.* goat
chorrear to drip

D

dama *f.* lady; mistress
damisela *f.* young woman
dantesco Dantesque (*pertaining to style of Dante*)
danza *f.* dance
danzar to dance; whirl
danzón *m.* dance (*Cuban*)
dar to give; — **alcance** reach; — **buena prisa a** hurry; — **fin** end; — **fondo** anchor; — **lo mismo** be the same; — **pasos** walk; — **prisa** hurry; — **un vuelco** startle; — **vista** see, show; **dábale de lleno** fell full upon him; —**se cuenta de** realize
de of; from; — **pronto** suddenly; — **veras** really; — **verdad** truly; — **nuevo** again
debajo beneath
deber to owe; must; should
débilmente weakly
decadentismo *m.* decaying, fading
decidido determined

decidir to determine, decide
decir *m.* witty remark
decir to say; — **de** talk about
declinar to descend; decline; set
dedo *m.* finger
defender to defend
defensa *f.* defense
degollar to cut the throat; behead
dejar to quit; leave; —**se** allow oneself; — **de** stop; — **paso** allow to pass
delación *f.* accusation
delante de before, in front of
deleitante delightful
deliberar to consult; ponder
delicado delicate
delicioso delightful, delicious
demandar to solicit, ask
demás the rest
demasiado excessively; too much
demonio *m.* demon
demorar to stop
dentro (de) within
denuedo *m.* daring, bravery
denuesto *m.* insult
Deo gratia thank God
deparado *m.* chance
deparar to offer, afford
depravado depraved, lewd
derramar to spill
derretir to melt
derribar to overthrow
derrota *f.* downfall, defeat
desagravio *m.* compensation
desaparecer to disappear
desarme *m.* disarming
desarraigar to uproot
desatar to break loose
descabalgar to dismount
descalabrado injured
descalzo barefoot
descansar to rest
descanso *m.* rest
descargar to deal, inflict
descargo *m.* exoneration; release
descender to descend
descollar to tower
desconocido unknown
descoyuntarse to disjoint; outdo oneself
descubrir to discover
desde from, since, after; — **que** from the time that
desdén *m.* scorn, disdain
desdeñoso disdainful
desear to want, wish
desembarcar to land, disembark, go ashore
desenclavar to draw nails out of
desengañado undeceived
desenvainar to unsheath
desenvolver to unfold; evolve
deseo *m.* desire
deseosa desirable
desesperante exasperating
desesperar to despair; —**se** despond
desfilar to march in review; pass by
desgajar to tear off (*branches*)
desgracia *f.* misfortune; **por** — unfortunately
desgraciado *m.* wretch
desgranar to scatter about
desgreñar to dishevel

deshacer to destroy; consume; undo
deshacerse to disappear, vanish; break up
deshelar to melt
deshojar to unfold; strip the leaves of
desierto deserted, barren, isolated
desierto *m.* desert, wilderness
deslizar to slide; **—se** glide
deslumbrante dazzling
deslumbrar to dazzle
desmayarse to faint
desmedrar to decay; deteriorate
desnudo naked
desojar to look intently at
desolado desolate
despacio slow(ly); deliberate(ly)
despechar to disappoint; despair; enrage
despecho *m.* spite; despair; grudge
despedida *f.* parting
despeinado uncombed, unkempt
despertar *m.* remembrance; **tenía despertares de aurora** she was as bright as the new day
despertarse to awaken
desplegar to open, unfold
despoblado *m.* wilderness
despojar to divest oneself of
desposado newly married
desposorio *m.* betrothal
despreciable contemptible
despreciar to scorn, despise; reject
desprecio *m.* scorn
desprender to leave
después afterwards, then; **— de** after
desquitarse to revenge oneself
destacarse to stand out
destellar to sparkle
desterrar to banish
destino *m.* destiny, fate
destrenzar to unplait, unbraid
destreza *f.* nimbleness; skill
desusado obsolete, archaic
desvanecer(se) to fade; vanish
desvelar to remain awake
desvelo *m.* want of sleep; vigilance
desvío *m.* aversion; indifference
detender to spread
detener to stop, stay
detenerse to pause
detrás behind; in the rear
deuda *f.* debt
devaneo *m.* delirium, frenzy
devocíon *f.* devotion
devorar to devour
devota *f.* devout, pious
devotamente piously
día *m.* day
diablo *m.* devil
diabólico diabolical
diafanidad *f.* transparency
dibujar to depict; draw
diente *m.* tooth
diestra *f.* right
diestro *m.* halter
diferente different
difícil difficult
difunto *m.* dead, deceased

dignarse to condescend, deign
dilatado vast, extensive
dilatarse to be late; delay, put off; **no dilates** hurry
diminuto small
dinastía *f.* dynasty, sovereignty
Dios *m.* God
diosa *f.* goddess
diplomático *m.* diplomat
dirigir to direct
disculpa *f.* apology, excuse
discurso *m.* intelligence
disimular to feign, dissimulate
disipar to dissipate, disperse; squander
dislocado tuneless
disparar to fire
dispensar to dispense; privilege
dispersar to disperse, scatter
disperso scattered
disponer to prepare; order
dispuesto disposed, ready
disputar to dispute, contest
distancia *f.* distance; **a larga —** at a long distance
distinguir to distinguish
distraer to distract, absorb
diverso diverse
divertido entertaining, amusing
divertir to entertain
dividir to divide
divinidad *f.* divinity
divino divine; excellent
divisa *f.* emblem
divisar to perceive indistinctly
dobla *f.* *ancient Spanish gold coin worth about ten pesetas*
doblar to bend; fold; (*naut.*) round (*as an island*)
doble double
doblón doubloon (*a Spanish gold coin*); **— fernandino** *doubloon worth about twenty pesetas*
doliente *m.* suffering; *adj.* sorrowful
dolor *m.* pain
doloroso painful
dominador dominating
dominar to dominate, master
dominarse to control oneself
domínico *m.* monk of the Dominican order (*founded in 1215*)
dominio *m.* domain
donada *f.* lay sister
donaire *m.* gracefulness; gentility
doncella *f.* maid
donde where; **por —** through which
donjuanista *m.* a Don Juan, great lover
dorado golden, gilded
dormido asleep; calm, still; sleepy
dormir to sleep
dormitar to doze, nap
dos two
duda *f.* doubt
dudar to doubt; hesitate
duelo *m.* grief, sorrow
duende *m.* hobgoblin
dulce sweet
dulzura *f.* sweetness

duna *f.* dune
dura *f.* duration
durante during; — **horas y horas** for hours and hours
durar to last
duro hard

E

e and
ébano *m.* ebony
eco *m.* echo
echar to cast, fling; **—se de cabeza** dive
edad *f.* age
edificada convinced
edificar to edify, instruct; strengthen; erect
efluvio *m.* exhalation
egipcia *f.* Egyptian
ejecutar to perform
ejecutoria *f.* letters patent of nobility
elefancíaco thick
embarcar to embark, sail
embolsar to pocket
embozar to wrap, cover
embriagar to intoxicate
embridar to bridle
embrujado bewitched
emigrado emigrated
emoción *f.* emotion
emparejar to free; put abreast of
empavesado *m.* dressed (*of a ship*)
empeño *m.* courage; **a —** with desire; consistency
emperador *m.* emperor
empezar to begin
empresa *f.* enterprise, undertaking
empujar to push, shove
en in; **— seguida** immediately; **— tanto** in the meantime; **— torno de** around
enamorado *m.* lover; sweetheart
enamorar to woo, enamor; **—se (de)** fall in love (with)
enano *m.* dwarf, midget
encalmar to becalm
encantamiento *m.* enchantment
encantar to enchant
encanto *m.* charm, enchantment
encaramarse to climb
encarnado red
encarnizado cruel, pitiless
encender to kindle, light; inflame; **ponerse encendido** blush
encima on; over
enclavar to nail
encomendar to recommend; entrust
encontrar to find
encontrarse con to meet, come upon
encorvar to bend; crouch
encuentro *m.* encounter
enchapar to veneer
enderezar to straighten
enemigo *m.* enemy
enfadarse to become angry
enfermo ill, sick
enfoscarse to become cloudy
enfrentar to face
engalanar to adorn

enhiesto erect, upright; bustling
enjaezar to harness
enjalbegar to whitewash
enjugar to dry, wipe the moisture from
enjuto shriveled, dried
enlanguidecer to languish
enlazar to interlock, enlace
enlutar to put in mourning; veil
enmudecer to become silent
ennegrecer to blacken; darken
enojarse to become angry
enojo *m.* annoyance; trouble
enorme enormous
enracimar to collect in group
enredador *m.* trouble maker, gossip monger
enredo *m.* entanglement; falsehood
enrejar to grate, lattice
enroscar to twine, coil
ensabanado wrapped in a sarape *or* blanket
ensangrentado bloody
ensenada *f.* inlet, cove
enseñar to teach, show
ensillar to saddle
ensoñador dreamy
ensueño *m.* fantasy, illusion
enterramiento *m.* burial
enterrar to bury
entonces then, at that time
entoquillado trimmed
entornar to half close
entrada *f.* entrance
entraña *f.* bowel
entrar to enter
entre between, among
entreabrir to half open
entregar to deliver; give up
entrepuente *m.* space between decks of a ship
entrever to perceive indistinctly
entusiasmo *m.* enthusiasm
envenenar to poison
enviar to send
envidiado envied
envolver to surround; wrap
epitafio *m.* epitaph
epopeya *f.* epic
equilibrada balanced
erguirse to straighten up
ermitaño *m.* hermit
errabundo wandering
errante roving, wandering
esbeltez *f.* comeliness
esbelto slender, well-built
esbozar to sketch
esbozo *m.* sketch, outline
escala *f.* stopping place; ladder
escalera *f.* steps, stairway
escanciar to serve
escaño *m.* bench (*with a back*)
escapulario *m.* scapulary
escepticismo *m.* scepticism
esclarecer to lighten, illuminate
esclavizar to enslave
esclavo *m.* slave
escolta *f.* escort, guard
esconder to conceal, hide
escopetazo *m.* gunshot
escopetero *m.* gunner
escorzo *m.* contraction
escribir to write
escrúpulo *m.* scruple

escuchar to listen, hear
escudo *m.* coat of arms
escueto free; bare
esculpir to sculpture, carve
ese that
esencia *f.* essence; perfume
esfuerzo *m.* effort
esfumación *f.* hazy outline
esfumarse to shade off; disappear
esmeralda *f.* emerald
esmero *m.* attention, painstaking care
espacio *m.* interval; **con —** leisurely
espacioso spacious, ample
espada *f.* sword
espalda *f.* back; **a —s** back of
espanto *m.* fright, terror; horror
español Spanish
esparcir to scatter; divulge
espejar to reflect
espejo *m.* mirror
espera *f.* stay, pause; hope
esperanza *f.* hope
esperar to await; hope; expect
espeso dense, thick
espíritu *m.* soul, spirit
espiritual spiritual
espolear to urge, incite, spur
espolín *m.* small spur
espolique *m.* running footman
espuela *f.* spur
espuma *f.* foam
esquife *m.* skiff
esquilón *m.* bell
esquivar to shun, evade
esquivo reserved, shy; elusive
establo *m.* stable
estacionario stationary
estampa *f.* sketch; cut; track, footstep
estancia *f.* room
estar to be; **— por** almost
estatua *f.* statue
estatuto *m.* law, statute
estela *f.* wake, track (*of a ship*)
estéril barren
estertor *m.* rattle (*in the throat*)
estío *m.* summer
estival summer
esto this
estorbar to hinder
estrechamente closely
estrechar to press
estrella *f.* star
estremecerse to tremble, shake
estremecimiento *m.* shudder; trembling; patches
estrépito *m.* din, deafening noise
estribillo *m.* refrain (*of a song*)
estribo *m.* stirrup
estribor *m.* starboard
estrujar to crush, jam
etéreo ethereal
eterno eternal
etíope *m.* Ethiopian
Europa *f.* Europe
evitar to avoid
evocador evoking
evocar to evoke
evocasión *f.* evocation
exaltado hot-headed; exalted
exhalar to exhale, breathe
exitado excited
exótico exotic
experiencia *f.* experience
experimentar to experience

expiación *f.* atonement
expirar to expire
éxtasis *m.* ecstasy
extática absorbed
extender to extend
extensión *f.* expanse
extenso extensive
extenuado wasted, emaciated
extranjero foreign
extraño strange
extravagancia *f.* folly
extremeño *m.* native of Estremadura (Spain)
extremo extreme

F

faca *f.* jackknife
fácilmente easily
facistol *m.* chorister's desk
faena *f.* toil, work
falda *f.* slope (*of a hill*); skirt
faldear to skirt (*a hill*)
faltar to lack, be lacking
famélico hungry, ravenous
familiar *m.* domestic
famoso famous, noted
fanfarria *f.* bluster; fanfare
fanfarrón *m.* swaggerer, boaster
fantasía *f.* fancy, whim
fantasma *m.* ghost
fantástico fantastic
faquir *m.* fakir (*a Mohammedan religious mendicant*)
farándula *f.* troupe of players
fariseo hypocrite
fascinar to fascinate
fatiga *f.* hardship; anguish; fatigue
fatigarse to become tired, be weary
fatigoso tiresome
fauces *f.* gullet, back of the mouth
favorita *f.* favorite
fe *f.* faith
fealdad *f.* ugliness
febril feverish
fecundado pregnant
fécundo fertile
felice happy
felicidad *f.* happiness
feliz happy
femenil feminine
femenino feminine
feo ugly
féretro *m.* coffin
feria *f.* fair, bazaar
fez *f.* Turkish cap
fiebre *f.* fever
fiel faithful
fiera *f.* wild beast
fiero fierce
figura *f.* figure; face
figurar to imagine, fancy
fijar to fix
fijo fixed, stationary
fimbra *f.* border (*of a skirt*)
final *m.* end
fingir to feign, pretend; remind
fino fine; delicate
flácido lax, flaccid
flaco frail; feeble; thin
flamear to flutter; flame
flaqueza *f.* weakness
flequeado fringed
flete *m.* freight; fare
flor *f.* flower; **a — de** flush with

florecer to flower, bloom
florido flowery
flotante floating
flotar to float; **aflote** floating
flotilla *f.* small fleet
fluir to flow; issue
fogata *f.* bonfire
follaje *m.* foliage
fondo *m.* depth; bottom; foot; **al — de** in the background; **dar —** to anchor
foque *m.* jib (*of a ship*)
forma *f.* form; shape; figure
formarse to form
forrar to cover
fortuna *f.* fortune; **por —** fortunately
forzoso necessary, unavoidable
fosforescente phosphorescent
fosforescer to phosphoresce; glow
fragancia *f.* fragrance
fragante fragrant
fragata *f.* frigate; packetboat
fragua *f.* blacksmith's shop
fraile *m.* friar, monk
Francia France
franco open; free, clear
fray *contraction of* **fraile**
frecuente frequent
frente *f.* forehead; brow; face; front; **de —** in front
fresco fresh, cool
frialdad *f.* coldness
frío cold
friso *m.* frieze; wainscot
fuego *m.* fire
fuera outside
fuero *m.* privilege
fuerte strong
fuerza *f.* force
fugaz fugitive; fleeting, brief
fumar to smoke
funambulesco unreal
fundadora *f.* founder
fundar to settle, found
furia *f.* fury
fusta *f.* whiplash
fustán *m.* full white skirt

G

galán *m.* gallant
galante gallant
galantería *f.* gallantry
galopar to gallop
gálope *m.* gallop; **al —** galloping
gallardear to display; act with grace
gallardete *m.* streamer, pennant
gallardo graceful; elegant
gallo *m.* cock, rooster; **— de pelea** game cock
ganado *m.* cattle
ganancia *f.* winnings
ganancioso *m.* winner
ganar to reach; win
gangoso snuffling, whiny
garbo *m.* frankness; gentility
garganta *f.* throat
garra *f.* claw, talon
gatear to claw, scratch
gato *m.* cat; **— montés** wildcat
gavilán *m.* quillon (*of a sword*)
gaviota *f.* sea gull
gemir to moan, groan
generación *f.* generation

general *m.* general; common
generosidad *f.* generosity
generoso noble
génovés *m.* Genoese
gente *f.* people
gentil noble; graceful
gentío *m.* crowd
geológico geological
gerefalte *m.* falcon (*of northern regions*)
germen *m.* germ
gesto *m.* face, visage; gesture
gigante *m.* giant
gigantesco gigantic
girar to turn, whirl
Gloria *f.* Heaven
gloria *f.* bliss; glory
glorioso glorious
gobernar to rule
Golfo de México Gulf of Mexico
golpe *m.* blow, knock; attack; **de —** suddenly, abruptly
gorila *m.* gorilla
gorjear to warble, sing
gorjeo *m.* warble, trilling
gota *f.* drop
gozar to enjoy
gozo *m.* pleasure; **—s** couplets
grabado *m.* illustration
gracia *f.* charm, grace
gracias *f.* thanks
grácil slender
gracioso charming
grada *f.* step (*of a stairway*)
grado *m.* will, pleasure; **de buen —** willingly
grande great, large; **gran amigo** close friend
granito *m.* granite
gratitud *f.* gratitude
gravemente seriously, gravely
graznido *m.* croak
Grecia Greece
Gregorio XVI *pope from 1831 to 1846*
greña *f.* matted hair
griego Greek
grillo *m.* cricket; **—s** shackles
gris gray
gritar to shout
grito *m.* outcry, shriek
grotesco grotesque
grueso thick
grupa *f.* rump (*of a horse*); **a la —** in the cantle (*back part of a saddle*)
grupo *m.* group
guacamayo *m.* macaw
Guadalupe, Nuestra Señora de *patron saint of Mexico*
guaje (*Mex.*) silly, foolish
guajira *f.* Cuban country song
gualdrapa *f.* horse trapping
guapo handsome
guardar to keep; shelter; protect
guardia *f.* guard
Guardia Noble de su Santidad Papal Guard (*composed of younger sons of the noble families of the former Papal States; the protection of the Pope's person is entrusted to this Guard*)
guarecer to take shelter
guerra *f.* war
guía *m.* guide
guiar to guide

guijarro *m.* pebble
guinar to wink
guisa *f.* manner, fashion; **a — de** in the manner of, like
guitarra *f.* guitar
gustar to enjoy
gusto *m.* pleasure

H

haber to have; be; **había** there was *or* were; **¿ habrá muerto ?** did he die ?
habitar to inhabit, dwell
hábito *m.* dress, garment, robe
hablar to speak; **— a gritos** shout
hacer to make; do; **hace muchos años** many years ago; **— frio** be cold; **— señas** motion to; **— alto** stop; **— camino** travel; **— falta** need; **— polvo** pulverize; **—se a la vela** sail, leave port
haces *m. pl. of* **haz**
hacia towards
hacienda *f.* estate
hada *f.* fairy
halagar to coax, cajole
halar to pull, haul
hallar to find
hamaca *f.* hammock
hampón *m.* rowdy, bully
hartar to satiate, fill
harto full; complete, enough; many
hasta even; until; to
hay there is, there are
haz *m.* fagot
hazaña *f.* deed
hechicero *m.* witch; enchanter
hela there she was
heme there I was
henchir to fill
henequén *m.* hemp
hercúleo Herculean
hereje *m.* heretic
herencia *f.* inheritance
herida *f.* wound
herir to wound
hermano *m.* brother
hermoso handsome
hermosura *f.* beauty
héroe *m.* hero
heróico heroic
herradura *f.* horseshoe
hidalgo *m.* nobleman
Hidalgo Father Miguel Hidalgo y Costilla (1753–1811), *who initiated the Mexican War of Independence*
hidalguía *f.* nobility
hidrópico dropsical
hierático sacerdotal
hija *f.* daughter
hijo *m.* son; child
hilera *f.* row
hincar to bend; **— la rodilla** kneel
hipil *m. native dress of Mayan women; a wide gown with embroidered neckband and sleeveband*
historia *f.* story; history
histórico historical
hogar *m.* home
hoguera *f.* bonfire; blaze
hojear to turn the pages (*of a book*)

holganza *f.* leisure, ease
hombre *m.* man
hombro *m.* shoulder
homérico Homeric (*pertaining to Homer*)
hondo deep
honra *f.* honor
honrar to honor
honroso honorable
hora *f.* hour
horita just now
horizonte *m.* horizon
hormiguear to swarm (*like ants*)
horrorizar to horrify, terrify
hospedaje *m.* lodging
hospedería *f.* lodging; guest room
hospitalidad *f.* hospitality
hoy *m.* today
hueco *m.* hollow
huella *f.* track; tread
huerto *m.* orchard, garden
hueste *m.* host, army
huir to flee
humanista *m.* humanist(*scholar devoted to study of Greek and Roman literature and art*)
humano human
húmedo damp, moist, wet
humilde humble
humillar to humiliate
humo *m.* smoke
hundir to sink
huracán *m.* hurricane
hurí *f.* houri (*beautiful damsel who, according to Moslem faith, will be the constant companion of the faithful in Paradise*)
huronear to pry into
hurra *m.* cheer, hurrah

I

idioma *f.* language
ídolo *m.* idol
iglesia *f.* church
ignorar to be ignorant of
igual like, same
ijar *m.* flank (*of an animal*)
ileso harmless; sound
iluminar to light
ilustrar to make illustrious
imagen *m.* image
imaginación *f.* imagination
imaginar to imagine
imberbe beardless
imitar to imitate
impacientarse to become impatient
impaciencia *f.* impatience
impedir to prevent
impensadamente unexpectedly
imperdonable unforgivable
imperio *m.* empire
imperioso commanding
impetuoso impetuous
implacable unforgiving
implorar to implore
imponer to impose; give pause
importuno *m.* intruder
imposible impossible
impresión *f.* impression
improviso unexpected
impulso *m.* impulse
incierto uncertain, unknown
inclinar to lower; **—se** bow, bend
incontinenti instantly

incorporarse to sit up
incrédulamente incredulously
indecisión *f.* uncertainty
indeciso irresolute, undecided
indefinible undefinable
India America, the New World
indicar to indicate
índico *m.* East Indian
indiferente indifferent
indígena *m.* native
indio *m.* Indian
indolente indolent, idle
indudable doubtless
indulgencia *f.* forbearance, leniency
infante *m.* infantryman
infanzona *f.* ancient noble lady
infernal infernal, hellish
infidelidad *f.* infidelity; deceit
Infierno *m.* hell
informe formless, shapeless
ingenuidad *f.* candor; ingenuity
ingenuo candid
inglés *m.* English
ingrato ungrateful
ingrávido ethereal
inhóspito inhospitable
injuria *f.* wrong; abuse
inmenso immense, vast
inmóvil motionless
inmutar to become disturbed
innumerable innumerable
inquietante disquieting
inquieto restless
inquietud *f.* restlessness
inquisidor *m.* inquisitor
insoportable unbearable
inspirar to inspire
instante *m.* instant
instintivamente instinctively
intenso ardent, intense
intentar to try, attempt
interponer to intervene
interrogar to ask, question
interrumpir to interrupt
intervenir to intervene, mediate
intimación *f.* intimation
inundar to flood; sink
invadir to invade
inventar to invent
invernadero *m.* hothouse
inverosímil improbable
invierno *m.* winter
invitar to invite
ir to go
iris *m.* rainbow
irisado rainbow-hued, varicolored
ironía *f.* irony
isla *f.* island
islote *m.* small island
italiano Italian
izar to raise, hoist

J

jabalí *m.* wild boar
jaca *f.* nag, pony
jacal *m.* Indian hut
jacaresco gay
jactancia *f.* boasting
jadear to pant
Jafa *country in Arabia where much coffee and many cattle are raised*
jaleo *m.* Spanish dance (*accompanied by clapping of hands to encourage dancers*)
Jamaica Jamaica

jamás never
japonés Japanese
jarabe *m.* Mexican folk dance (*better known as the "jarabe tapatío"*)
jaral *m.* bramble
jarano *m.* Mexican sombrero
jarcia *f.* rigging, tackle
jardín *m.* garden
jarocho *m.* rough countryman
jaula *f.* cage
jazmín *m.* jasmine
jinete *m.* horseman, rider
jornada *f.* journey, trip
joven youth; young
judío *m.* Jew
juego *m.* game
jugada *f.* play *or* move (*as in a card game*)
jugador *m.* player; gambler
jugar to gamble; play; — **la luz** take advantage of the light
juguetón playful
Juicio *m.* Judgment Day
junquera *f.* rush (*a plant*)
juntar to join, unite; gather
junto together
juntura *f.* joint, seam, juncture
jurar to swear
justicia *f.* justice
juvenil youthful
juventud *f.* youth
juzgar to judge; **a** — judging

L

labio *m.* lip
labor *m.* trimming; design; embroidery
labrar to carve; make
lacio languid; straight
ladino cunning, crafty
lado *m.* side; **a mi** — **beside me**
ladrar to bark
ladrido *m.* bark
ladrón *m.* thief
lagarto *m.* alligator
lago *m.* lake
lágrima *f.* tear
laguna *f.* lagoon
lamento *m.* lament
lámpara *f.* lamp
lana *f.* wool
languidez *f.* languor
lánguido languid, faint
lanudo wooly
lanzar to fling, throw, hurl
largamente prolonged; for a long time
largar to loosen, ease; —**se** leave
largo lengthy, long
lastimero sad, pitiful
latigazo *m.* lash; crack of whip
látigo *m.* whip
latir to beat, throb
laya *f.* class
lazardo ragged
lazo *m.* bond
lealtad *f.* loyalty
lectura *f.* reading; lecture
leche *f.* milk
lecho *m.* bed
leer to read
lega *f.* nun
legajo *m.* bundle of legal papers
legendario legendary
legua *f.* league
lejanía *f.* distance

lejano distant
lejos far, afar, distant; **a lo** — in the distance; **desde** — from afar
lengua *f.* tongue; language
lentitud *f.* slowness, sluggishness; **con** — slowly
lento slow
león *m.* lion
lépero *m.* one of the rabble
leproso leprous
letanía *f.* litany
levantar to raise; build; — **de mano** bolt; — **vuelo** fly
levantarse to rise, get up
levar to weigh
leve light
leyenda *f.* legend
leyendo *see* **leer**
libertar to free
liberto *m.* freedman
libre free
licencia *f.* permission
licencioso licentious
licor *m.* liquor
ligero light; swift
limosna *f.* alms, charity
limpidez *f.* clearness
límpido limpid, crystal clear
linaje *m.* kind, type; lineage
linajudo of noble descent
lindar to border
lindo pretty, fine
línea *f.* line
lino *m.* linen
lisiado injured; lame
litera *f.* berth
lívido livid
lo it; — **que** that which
loco crazy, mad
lograr to reach; gain
loma *f.* little hill
lona *f.* canvas
Londres London
lontananza *f.* distance
losa *f.* flagstone
Lot *Lot and his family, fleeing from the doomed city of Sodom, were ordered not to look back; Lot's wife disobeyed and was converted into a pillar of salt.*
lúbrico lewd
lucir to glisten, shine
luchar to fight
luego then, immediately
luengo long
lúgubre sad, mournful
lujoso luxurious, showy
lujurioso luxurious
lumbre *m.* fire
luminoso luminous
luna *f.* moon; mirror
lustroso bright
luterano Lutheran
luto *m.* mourning
luz *f.* light

Ll

llaga *f.* wound; sore
llama *f.* flame
llamar to call
llamear to blaze
llano *m.* plain
llanto *m.* weeping, tears
llanura *f.* plain
llave *f.* key
llegar(se) a to arrive at; approach; reach; **llegado que fuí** having arrived

llenar to fill
lleno full
llevar to carry; take; wear; carry out; — **de frente** face
llorar to cry, lament, weep
lloroso tearful
llover to rain
lluvia *f.* rain

M

macaco *m.* monkey
machete *m.* cutlass (*large knife used for various purposes throughout Latin America*)
madera *f.* board, timber (*of ship*)
madre *m.* mother
madrina *f.* godmother
madrugada *f.* early morning, dawn
madurez *f.* maturity; wisdom
magnetizador *m.* hypnotizer
magnífico magnificent
maitines *m.* early morning mass, matins
maizal *m.* Indian cornfield
majestuoso grand, majestic
majeza *f.* spruceness, showiness, elegance
mal badly; poorly; ill; evil
maldición *f.* curse
maleante roguish
maleza *f.* undergrowth, thicket
maliciosamente maliciously
malo bad
manar to issue forth, flow out
mancebo *m.* young man
mancha *f.* spot; cloud
mandar to send; command
mandato *m.* order, command
Mangoré *site of a famous battle*
maniobra *f.* rigging, tackle; work
manís *m.* peanuts (*a nickname here*)
mano *f.* hand; **a** — on hand; **poner** — **a** to take hold of
manojo *m.* handful, bunch
manosear to touch, feel, handle
mansedumbre *f.* tameness
manso meek, gentle
mantel *m.* tablecloth
mantener to maintain
mañana *f.* tomorrow
mar *f.* sea
maravillar to marvel
marcial warlike; frank, unceremonious
marcial *m.* fighter, troublemaker
mareado seasick
mareante *m.* dizziness; *adj.* dizzy
mareo *m.* seasickness; vexation
marido *m.* husband
marina *m.* marine
marinería *f.* crew (*of a ship*)
marinero *m.* sailor
marino nautical, marine
mariposa *f.* butterfly
mariposeo fluttering (*of a butterfly*)
marqués *m.* marquis (*title of nobility*)
mártir *m.* marytr
más more; — **arriba** higher; — **de** more than; **la** — most
mas but

masa *f.* mass; lump
mastelero *m.* topmast
matar to kill
matinal *m.* morning
matiz *m.* tint, hue; feeling
máxima *f.* maxim; rule
maya *m.* Mayan
mayor greater
mayorazgo *m.* family estate
mayordomo *m.* manager, overseer
mecer to swing, sway
médano *m.* dune
mediada in the middle of
mediante by virtue of
medida *f.* measure; standard; **a — que** while
medio half, middle, center; **en — de** amidst
meditar to think about, muse on
medroso timorous
médula *f.* marrow
mejilla *f.* cheek
mejor better
melancolía *f.* melancholia, sadness, gloom
melancólico melancholy, sad
meloso sweet; gentle
memoria *f.* memory
mendigo *m.* beggar
menester *m.* need
menguar to lessen
menos less
mente *f.* mind
menudo small, minute
mercador *m.* merchant
merçancía *f.* merchandise
merced *f.* grace
mercenario *m.* hired soldier
merecer to deserve
merito (*Mex.*) right there
mérito *m.* merit, worth
mero exact, very
mesa *f.* table
mesana *f.* sail (*nautical*)
meter to induce; enter; **—se** get in
metido close; **— al dia** late in the morning
mexicano *m.* Mexican
México Mexico
mezclar to mix, mingle
mí me
mi my
miedo *m.* fear
mientras while
mil *m.* thousand
milagro *m.* miracle
milano *m.* hawk
milenario *m.* millenary (*space of a thousand years*)
mimar to pamper, fondle
mimbral *m.* plantation of osiers (*a species of willow*)
mimo *m.* caress
mío mine
mirada *f.* glance, look
mirar *m.* appearance; *v.* to look at *or* upon
misa *f.* Mass; **— de alba** matinal
misal *m.* missal, Mass book
mísero niggardly
misionero *m.* missionary
mismo same
misterio *m.* mystery
misterioso mysterious
místico mystic
mitológico mythological

modo *m.* type; manner; **al — de** like; **de un —** in a manner; **una a — de** something like a
modorra *f.* drowsiness; heaviness
Mohammed (571–632) *Arabian religious and military leader, founder of Islam*
mohín *m.* gesture, grimace
mohoso rusty
mojar to wet
molinete *m.* lashing, whirling motion
momento *m.* moment
momia *f.* mummy
monasterio *m.* monastery
moneda *f.* coin
monja *f.* nun
monjil nunnish
monotono monotonous
monstruo *m.* monster
monstruoso monstrous
montar to mount
monte *m.* mountain
montés wild
montura *f.* mount, riding horse; saddle
morbidez *f.* softness
morder to bite; clutch
mordisquear to nibble
moreno *m.* negro; *adj.* dark-complexioned
moribundo dying
morir to die
morisco Moorish
moro *m.* Moor
mortal fatal; mortal
mortecino pale; dying
mosca *f.* fly; **— de luz** firefly
mosquitero *m.* mosquito net
mostacho *m.* mustache
mostrar to display, show
movedizo shifting; unsteady
mover to move; **— querella** quarrel
movimiento *m.* movement
mozo *m.* young man; **— de espuela** stableboy
muchacho *m.* boy
muchedumbre *f.* crowd, multitude
mucho much
mudanza *f.* motion
mudar to change
mudo dumb, silent
muerte *f.* death
muerto dead; **por —** as dead
muestra *f.* sign; sample; indication
mujer *f.* woman
mulato *m.* mulatto
multitud *f.* multitude
mundano mundane, worldly
mundo *m.* world
murmullo *m.* murmur
murmurador murmuring
murmurar to murmur
muro *m.* wall
música *f.* music
musitar to whisper, mutter, mumble
mustio sad; withered
muy very

N

nacarado pearly
nacer to be born
naciente rising

nada nothing
nadar to swim
nadie nobody
naipes *m.* playing cards
napolitano *m.* Neapolitan (*citizen of Naples*)
naranjo *m.* orange tree
nariz *m.* nose
narración *f.* story, tale
naturaleza *f.* nature
naufragar to wreck
nave *f.* ship; aisle; nave
navegación *f.* voyage
navegar to travel; sail
navío *m.* ship
nazareno *m.* Nazarene; Nazarite
nebuloso misty, hazy
necesario necessary
necesitar to need
néctar *m.* nectar
negar to deny
negrazo huge negro
negro *m.* negro; *adj.* black
negruzco blackish
nervio *m.* nerve
nervioso nervous
ni nor; **ni . . . ni** neither . . . nor
nido *m.* nest
niebla *f.* fog
nieve *f.* snow
ninfa *f.* nymph
nínfea *f.* water lily
ninguno (ningún) no, no one, none
Ninon (de Lenclos) *famous character in French history*
niña *f.* girl; **— del ojo** pupil (*of the eye*)
niño *m.* child
nobilario noble
nobleza *f.* nobility
noche *f.* night
nocturno night, nocturnal
nómada nomad
nombre *m.* name
nos us
nosotros we
nostalgia *f.* nostalgia, homesickness
nota *f.* note
noveleria *f.* inquisitiveness; taste for novels
novelesco fictitious; novel
novicia *f.* novice
nubarrón *m.* large cloud
núbil marriageable
nublar to cloud
nuestro our
Nuestro Señor Jesucristo Our Lord Jesus
Nueva Galicia *former province of Mexico when ruled by Spain*
nuevo new; **de —** again
número *m.* number
numeroso numerous
nunca never; **más que —** more than ever
nupcial nuptial
nupcias *f.* wedding

O

oasis *m.* oasis
obedecer to obey
obispo *m.* bishop
obligar to oblige
obra *f.* work

observar to look, watch
ocasión *f.* occasion
ocaso *m.* west
ocultar to hide, conceal
oculto hidden
ofender to offend
ofensa *f.* offense
oficiar to officiate
ofrecer to dedicate, consecrate; offer
ogro *m.* ogre
oído *m.* ear
oir to hear
ojo *m.* eye
ola *f.* wave
ol(e)aje *m.* surge, succession of waves
¡ olé ! *interj.* bravo !
oler to smell
olor *m.* scent
oloroso fragrant
olvidar to forget
olvido *m.* oblivion
onda *f.* wave
ondulación *f.* movement
ondulante waving, undulating
ondular to undulate, wave
onduloso sinuous
onza *f.* Spanish doubloon (*gold coin worth about eighty pesetas*) ; ounce
opio *m.* opium; forgetfulness
oprimir to press
opulento wealthy, opulent
oración *f.* prayer
orden *f.* order
ordenar to order, command
orear to fan
oreja *f.* ear
organillo *m.* hand organ
orgía *f.* orgy, revel
orgulloso proud
orientarse to find one's bearings
Oriente *m.* East
origen *m.* origin
orilla *f.* shore, bank; edge
Orizaba, Cordillera de *mountain range in Mexico*
oro *m.* gold
orzar to tack (*nautical term*)
osar to dare
oscurecer to darken; dim
oscuridad *f.* darkness
oscuro dark
ostentar to exhibit
otorgar to grant
otro another, other
Otumba *a famous battle in the Conquest of Mexico*
oveja *f.* sheep, ewe
overo *m.* blossom-colored horse
Ovidio Ovid (*famous Latin poet*)

P

pabellón *m.* pavilion; bed canopy; flag
paciencia *f.* patience
padecer to suffer
padre *m.* father
pagar to pay
país *m.* country, land
paisaje *m.* landscape
pájaro *m.* bird
pajarraco *m.* large bird
palabra *f.* word
palacio *m.* palace
palafrén *m.* palfrey

Palenque *village in Mexico famous for its Mayan ruins*
palidecer to turn pale
pálido pale
palio *m.* canopy
palma *f.* palm leaf (*emblem of victory or martyrdom*); palm (*of hand*)
palmada *f.* applause
palmera *f.* palm tree
palo *m.* stick
paloma *f.* pigeon, dove
palpitante vibrating
pánico *m.* panic
pantanoso marshy, miry
paño *m.* cloth; drapery
pañuelo *m.* handkerchief
par equal; **a la** — jointly; **de — en —** wide open
para for, in order to; — **comienzo** as a start
parada *f.* stop; **hacer** — to stop
parador *m.* inn
Paraíso *m.* Paradise
paraje *m.* place, spot
páramo *m.* high, cold region; plain
parar to stop
parar *m.* card game
parasol *m.* sunshade, parasol
parecer(se) to resemble, appear to be
parecido similar
párpado *m.* eyelid
parte *f.* part; section; **por todas** —s on all sides
Partenón Parthenon
partir to leave
pasado *m.* past
pasaje *m.* fare; passengers; trip
pasajero *m* passenger
pasar to pass; enter; — **las horas** spend the time
pasear to promenade
paseo *m.* walk; stroll
pasión *f.* passion
paso *m.* way, path; step; pace; **al** — on the way; **a pocos —s** close by
pastor *m.* shepherd
pastoreo *m.* shepherd
pata *f.* **hoof; — a — step by step**
pataleo *m.* patter
pátina *f.* patina (*a film forming over the varnish of a picture when long exposed to air*)
patio *m.* courtyard
patria *f.* country, native land
patriarcal patriarchal
patricio *m.* patrician, aristocrat
pausado slowly
pavoroso frightful, terrible
paz *f.* peace
pecado *m.* sin
pecador *m.* sinner
pecar to sin
peces *pl. of* **pez**
pecoso freckled
pecho *m.* chest; breast
pedigüeño persistent; begging
pedir to ask for
pegajoso sticky; tempting
pegarse to draw close
peinarse to comb
pelear to fight
peligroso dangerous

penacho *m.* crest
pendiente dangling, hanging
penetrante penetrating, piercing
penetrar to penetrate
penitencia *f.* penitence
penitente penitent
penoso painful
pensamiento *m.* thought
pensar to think
pensativo thoughtful
peñasco *m.* large rock
pequeño small
pequeñuelo *dim. of* **pequeño**
percibir to notice, perceive
perder to lose
perdón *m.* forgiveness
perdonar to forgive, pardon
perecer to perish
peregrinación *f.* pilgrimage
peregrino *m.* pilgrim
pereza *f.* laziness
perezoso lazy; idle
perfectamente perfectly
pérfido treacherous
perfil *m.* profile
perfilar to outline
perfumar to perfume
perjurar to swear
perjuro treacherous
permanacer to remain
pero but
perro *m.* dog; — **de terranova** Newfoundland dog
perseguir to pursue, follow
persiana *f.* window blind, shutter
persona *f.* personage
pertenecer to belong
perverso wicked, perverse
pesada *f.* weight
pesadilla *f.* nightmare
pesado heavy
pesar to weigh
pestaña *f.* eyelash
Petrarca Francisco Petrarch (1304–1374) *Italian scholar and poet*
pez *m.* fish
Pharos *ancient Greek island and its famous lighthouse*
piadoso merciful; pious
piafar to paw, stamp
piafunte pawing, stamping
pica *f.* pike, lance
picar to pick; spur
picaresco roguish
pico *m.* beak, bill
pie *m.* foot; **en** — standing
piececillo *m. dim. of* **pie**
piedad *f.* piety; pity
piedra *f.* stone
piel *f.* fur
pintar to paint
pintoresco picturesque
pintura *f.* picture
piñoncico *m.* small kernel
pipa *f.* pipe
pirámide *f.* pyramid
pisada *f.* step, footstep
pisar to step, tread
pistola *f.* gun, pistol
pito *m.* whistle
placentería *f.* pleasure
placer *m.* pleasure
placer to please
plácido quiet, calm
plano level; plane
planta *f.* plant
plantarse to stand

plantío *m.* cultivated field
plañidero mournful
plata *f.* silver; money
plátano *m.* banana
plateado *m.* *Mexican bandit of 19th century, distinguished by great amount of silver adorning himself, his saddle and horse*
platear to silver
plática *f.* talk
platicar to talk, chat
playa *f.* shore, beach
plebeyo plebeian
plegar to fold; close
pleito *m.* quarrel, fight; argument
plenilunio *m.* full moon
plomo *m.* lead
plumaje *m.* plumage
pluvial rainy
poblar to people, populate, settle
pobre poor
pobrecito *dim. of* **pobre**
pobreza *f.* poverty
poco few; little; **a** — however; — **a** — little by little
poder to be able; **no puedo menos de** I can't help
poder *m.* power
podrido rotten
poema *m.* poem
poeta *m.* poet
poético poetic
polen *m.* pollen (*of a flower*)
polvo *m.* dust
polvoriento dusty
poner to place, put; — **fuego a** set fire to; — **mano a** grasp; — **tierra por medio** flee; —**se encendido** blush; —**se en pie** stand; — **en salvo** escape
popa *f.* stern, poop
por through; from; because; over; — **cierto que** of course; — **desgracia** unfortunately; — **poco** almost; **¿ por qué ?** why ?
porque because
portugués Portuguese
posar to rest; perch
poseer to possess, have
postrero last
potente potent, powerful
potestades *f. pl.* angelic powers
potrico *m.* small colt
potro *m.* foal
pradera *f.* prairie, meadow
preceder to precede
precisar to need
precoz precocious
preferir to prefer
pregonar to proclaim; fix a price on some one's head
pregunta *f.* question
preguntar to ask, question
prematuro premature
prenda *m.* pledge, security
prendar to please, charm
preocupar to worry
presagio *m.* omen
presbiterio *m.* chancel
presencia *f.* presence; physique
presentar to offer
presentimiento *m.* presentiment; misgiving
prestar to lend

presto swift, quick(ly), soon
presuroso prompt
prevenir to warn; prepare
primavera *f.* spring
primero (primer) first
primitivo primitive
princesa *f.* princess
príncipe *m.* prince
principio *m.* beginning; **al —** at first
priorato *m.* priory
prisa *f.* hurry
prisionero *m.* prisoner
privar to deprive
proa *f.* prow; **hacer —** to head
probablemente probably
probar to try, test; taste
procurar to try
prodigar to lavish
producir to produce
profanar to profane
profundidad *f.* depth
profundo deep; intense
prole *f.* offspring
prolongar to prolong, extend
promesa *f.* promise
prometer to promise
pronto soon; quickly; **de —** suddenly
pronunciar to pronounce
propicio favorable
propósito *m.* purpose; aim; **a —** suitable
prorrumpir to burst out
proseguir to continue
proximidad *f.* proximity
proyectar to project, throw
prudente prudent
pudoroso modest; shy
pueblo *m.* town
puente *m.* bridge; deck (*of a ship*)
pueril childish, puerile
puerta *f.* door; gate
puerto *m.* port; harbor
pugilato *m.* boxing
punta *f.* touch; tip; point; group; **una — de** a lot of
pupila *f.* pupil (*of the eye*)
purificar to purify; clear

Q

que that, which; what; **¡ — va !** of course not !
quedar(se) to remain, stay
quedo soft; gentle; still
queja *f.* complaint
quemar to burn
querella *f.* complaint; quarrel
querellarse to quarrel; complain
querer to want
querido dear, darling
quevedos *m. pl.* eyeglasses
quiebro *m.* movement (*of the body*)
quien who, whom, that
quieto calm, quiet
quietud *f.* quietness, silence
quimérica chimerical
quince fifteen
quinientos five hundred
quizá perhaps

R

rabia *f.* anger
ración *f.* ration
ráfaga *f.* gust of wind; storm

rama *f.* branch
ranchera *f.* ranch girl
ranchito *m.* small ranch
rapazuelo *m.* youngster
raptor *m.* abductor, kidnapper
rareza *f.* strangeness
raro strange; rare
rasar to drag
rasgar to clear up, rend
raso *m.* satin; plain
raso clear, plain
rastra: a — by force
rastrear to skim the ground
rastro *m.* trail, track
rastrojo *m.* stubble; wheat straw
rato while
ráudo impetuous
rayar to appear
rayo *m.* ray
raza *f.* race
real royal
real *m.* camp
reaparecer to reappear
rebaño *m.* flock, fold
rebenque *m.* whip; cat-o'-nine-tails
rebocillo *m. dim. of* **rebozo** shawl
recado *m.* message
recamar to embroider
recelar to fear
recibir to receive
recitar to recite
reclinar to rest; recline
reclinatorio *m.* something to rest on
recobrar to recover, regain
recoger to gather, pick up; **—se** withdraw
reconocer to recognize
recordar to remember, remind
recorrer to travel over
recortar to outline
recuerdo *m.* memory
rechinar to grate; creak
red *m.* net, snare
rededor *m.* surroundings; **a su** — around him
redomado sly, crafty
redondo round
refectorio *m.* refectory
referir to tell, narrate
reflejar to reflect
reflexión *f.* thought, meditation
reflexionar to think, meditate
refrenar to check; rein
refresco *m.* refreshment; luncheon
regalar to give, bestow
regalo *m.* gift; pleasure
regar to water; shower
regatear to bargain, haggle
regazo *m.* lap
región *f.* region
rehusar to refuse, decline
reinar to reign
reino *m.* kingdom
reirse to laugh
reja *f.* grating; bannister
rejuvenecer to rejuvenate
relámpago *m.* flash of lightning
relampaguear to be lightning
relato *m.* report, account
relieve *m.* relief picture
religioso religious
relinchar to neigh
relingar to rustle; rig (*sails*)
reluciente bright, shining

relucir to shine, glisten, glitter
remanso *m.* backwater; dead water
remar to row
remero *m.* rower, oarsman
reminiscencia *f.* reminiscence
remo *m.* oar
remolino *m.* whirlpool; eddy
remontar to climb
remoto distant, far
remover to stir, move
Renacimiento *m.* Renaissance
rencor *m.* rancor
rendaje *m.* set of reins
rendido devoted; fatigued
rendimiento *m.* submission
renunciar to renounce
reñidero *m.* cockpit
reñir to fight, scold
reparar to notice, observe
repartir to divide
repentinamente suddenly
repetir to repeat
replicar to reply
reponer to restore; reply
reposar to rest
representación *f.* image, idea
reprochar to reject
réptil *m.* reptile, snake
República Dominicana Dominican Republic
repugnante repugnant
requemar to burn
requerir to summon; get hold of
res *f.* beast
rescatar to recover; redeem; rescue
resecar to dry thoroughly
resignar to resign
resistir to resist
resolver to resolve, decide; settle
resonar to echo
respetar to respect, honor
respirar to breathe
resplandecer to gleam, shine
resplandor *m.* radiance, brilliancy
responder to answer, reply
responso *m.* responsory for the dead
respuesta *f.* answer
resquicio *m.* crack, chink, crevice
restallar to burst; crack a whip
restos *m. pl.* remains
resucitar to revive
resueltamente resolutely
resulta *f.* result
resurgir to reappear, rise again
resurrección *f.* resurrection
retardo *m.* delay
retirar to retire, withdraw
retorcer to twist
retostar to burn; toast brown
retozón frolicsome
retrato *m.* picture
retroceder to retreat
reunir to gather; reunite
revelar to reveal, show
reverencia *f.* reverence
revestir to cover
revivir to live again
revolotear to flutter
revoloteo *m.* fluttering
revuelo *m.* gyration; wheeling
rey *m.* king

rezar to pray
rezo *m.* prayer
rezongar to mutter, growl
ribera *f.* bank, shore
rico rich
riel *m.* fray; beam
rielar to glisten, shine
rienda *f.* rein
riente laughing
riesgo *m.* danger, risk
rígido rigid, stiff
río *m.* river
risa *f.* laughter
risueño gay, smiling
rítmico rhythmic
rizar to ripple
rizo *m.* curl; **—s** reef points
robar to steal
robusto robust, vigorous
roca *f.* rock
roce *m.* friction; touch
rocío *m.* dew
rodado *m.* dappled horse
rodar to roll
rodear to surround, encircle
rodilla *f.* knee; **de —** on bended knee
rogar to beg, plead
rojizo reddish
rojo red
Roma Rome
romance *m.* Romance language
romántico romantic
romper to break; tear
rosa *f.* rose
rosado pink
rosario *m.* rosary
rostro *m.* face
roto broken
rozar to scrape
ruano *m.* roan horse
rubio blonde
rudo rude, rough
rueda *f.* wheel; circle
rugir to roar
ruido *m.* noise; **sin —** noiselessly
ruidoso noisy
ruina *f.* ruin
rumbo *m.* course, direction; **con — a** towards
rumor *m.* murmur
rumoroso murmuring
ruso *m.* Russian
rústico rustic
ruta *f.* route, way

S

sábana *f.* sheet
sabana *f.* grassy plain
saber to know
saborear to relish, enjoy
sacar to take out
sacerdotal ministerial; religious
sacerdotisa *f.* priestess
saciar to satiate
sacrificar to sacrifice
sacrilegio *m.* sacrilege
sacristía *f.* vestry, sacristy
sacudir to shake
sádica cruel
sagrado sacred
sajona Saxon
sal *f.* salt; wit
sala *f.* hall; room
Salambó *Babylonian Venus*
salida *f.* exit
salir to go out; leave

salmodia *f.* psalmody
salmodiada psalmlike
Salmos Penitenciales Psalms of Penitence
salpicar to sprinkle
salsero *m.* salty spray; splash
saltar to jump
salteador *m.* highwayman
salto *m.* leap, jump
saludar to greet
salutación *f.* greeting
salvaje *m.* savage
salvo safe; **en** — in safety
sandalia *f.* sandal
sándalo *m.* sandalwood
sangre *f.* blood
sangriento bloody
sanguinario cruel
San Juan de Tuxtlan *a point in the state of Veracruz*
santiaguista *m.* knight of Santiago
santiamén *m.* moment, jiffy
santiguarse to cross oneself, make the sign of the cross
santo saint, holy
Santo Padre the Pope
saña *f.* anger, passion
sañudo furious, enraged
saquear to pillage
sarta *f.* string of beads
satisfacer to satisfy; answer
savia *f.* sap
sazón *f.* season; occasion; **en** — in time
secarse to dry oneself
seco dry
secretear to whisper
secreto *m.* secret
secuestrar to kidnap
sed *f.* thirst
seda *f.* silk; **—s** silk thread
sediento thirsty
seguida: **en** — immediately
seguidamente directly; quickly
seguir to follow; continue
segundo second; — **de a bordo** second in command
seguro certain
seis six
selva *f.* forest, woods
selvático rustic, wild
semejante similar
semejar to appear
senda *f.* path
seno *m.* gulf; surface; breast
sensación *f.* feeling, sensation
sensacional sensational
sensual sensuous; sensual
sentarse to be seated
sentencia *f.* proverb
sentido *m.* feeling; sense; **en todos —s** in all directions
sentimiento *m.* sentiment
sentir to feel; be sorry to hear; **en todo sentido** fully conscious
seña *f.* sign
señal *f.* sign
señor *m.* gentleman; sir; lord
señora *f.* lady
señorear to lord over
señorial manorial
señoril lordly
separar to separate
sepulcral monumental
sepulcro *m.* tomb, grave
sepultar to bury
sepulturero gloomy
séquito *m.* retinue, train

ser to be; — **menester** be necessary; — **preciso** be necessary
serenar to cool; **—se** become serene
serio serious, dignified
serpentino serpentine
serrallo *m.* harem
servidor *m.* servant
servir to serve; — **de** act as; **—se de** make use of; — **para** be used for
sestear to nap
setecientos seven hundred
sexo *m.* sex
sí yes
síbila *f.* priestess
sibilino sibylline
sicomoro *m.* sycamore tree
siempre always; still
sien *f.* temple
siervo *m.* slave
siesta *f.* afternoon nap
siete seven
sigiloso silent, reserved
siglo *m.* century; **de ha dos —s** two centuries ago
silbar to whistle
silbido *m.* whistling; hiss
silencio *m.* silence
silencioso silent, quiet
silueta *f.* silhouette
silla *f.* chair; seat; saddle
símbolo *m.* symbol
simular to pretend
sin without; — **embargo** nevertheless
sinfónico symphonic
singular unique
siniestro sinister
sinsabor *m.* trouble; uneasiness
sinsonte *m.* mocking bird
sinvergüenza *f.* base action
siquiera at least; even
sirena *f.* siren, mermaid
sitial *m.* seat of honor
sitio *m.* place, room
soberanía *f.* sovereignty
soberbio arrogant, proud
sobre on; over, above
sobrecogerse to recoil; become afraid
sobresalir to stand out
sobresalto *m.* startling surprise
sol *m.* sun; **al** — in the sun
solamente only
soldado *m.* soldier
soledad *f.* solitude
solemne solemn
soler to be accustomed to
solícito careful
solitario lonely, deserted
solo single, alone
sólo only
soltar to release
sollozar to sob
sollozo *m.* sob
sombra *f.* shade; shadow; **dar** — to shade
sombreado shaded
sombrero *m.* hat
sombrilla *f.* parasol
sombrío shady; gloomy; sullen
somnolento drowsy, sleepy
son *m.* sound, noise
sonar to ring, sound
sondar to pierce; search
sonoramente sonorously

sonreir to smile
sonrisa *f.* smile
soñar to dream
sopesar to test weight
soplar to blow
soplo *m.* gust, breath
sopor *m.* languid sleep, deep sleep; languidness
soportal *m.* portico
sorber to swallow; absorb; suck down
sorbo *m.* gulp, swallow
sordo muffled, stifled
sorpresa *f.* surprise
sortija *f.* ring
soslayo: de — slanting sideways; askance
sospecha *f.* suspicion
sospechar to suspect
sostener to maintain; keep; support
sota *f.* jack (*in cards*)
su: — merced your Grace
suave soft, gentle; faint
subir to climb, go up
súbito sudden; **de —** suddenly
sublevación *f.* revolt
suceso *m.* event
suelo *m.* floor, ground
suelto loose
sueño *m.* sleep; dream
suerte *f.* fortune, luck; **de esta —** in this manner; **de — que** so that
sufrir to suffer
sugestivo suggestive
sujetar to fasten, grasp
sultana *f.* sultana
sumerger to sink, submerge
sumir to sink
sumiso submissive
sumo great
suntuoso sumptuous
superficie *f.* surface
superstición *f.* superstition
supersticioso superstitious
suplicante entreating
suplicar to beg
suplicio *m.* grief, anguish
surcar to cut through
surgir to appear
surtidor *m.* spout, fountain
suspirante sighing
suspirar to sigh
suspiro *m.* sigh
susurrante whispering, murmuring
susurro *m.* whisper, murmur
sutil subtle; light

T

tablado *f.* stage, platform
tácito silent
taciturno melancholy; reserved
tahalí *m.* shoulder belt
tahur *m.* gambler
taifa *f.* low-brow group
tal such; **— vez** perhaps
talante *m.* manner; countenance; will; humor
tamal *m.* tamale
también also
tampoco neither
tan so; **— . . . como** as . . . as
tantear to test; try
tanto so much; **— . . . como** as . . . as; **en —** in the meantime; **—s** so many

tapa *f.* lid, cover, top
tapacaminos *m.* a species of blackbird
tapar to cover; veil
tapatía *f.* dancer of a Mexican dance
tardar to be late, delay; — **en** be long in
tarde *f.* afternoon
tarde late; **de — en —** very seldom
tardío slow
tardo slow, sluggish
Tarik *Moorish chieftain of the eighth century who invaded Spain from Africa*
tazón *m.* large basin
techumbre *f.* roof
tedio *m.* tediousness
tela *f.* cloth
temblar to tremble
temblona shaky, tremulous
temblor *m.* tremor
tembloroso tremulous
temer to fear
temeroso fearful
temple *m.* temper (*of metal or persons*)
tenaz firm; stubborn
tender to extend, stretch
tendido stretched
tener to have; hold; be; — **miedo** be afraid; — **por** consider; —**se** halt; sustain oneself; **tengase por muerto** consider yourself dead; **ténganse allá** halt
tentación *f.* temptation
tentador *m.* tempter
tentar to attempt, try; tempt
tenue delicate; faint
teñir to tinge
Tequil *town on west coast of Mexico*
tercero (tercer) third
terco stubborn
ternura *f.* tenderness
terso smooth, glassy
tertulia *f.* social gathering
terral *m.* land breeze
Terranova Newfoundland
terreno *m.* terrain
tesoro *m.* treasure
testa *f.* head
testero *m.* front façade; wall
tez *f.* complexion
Thaís *Greek courtesan*
tibio lukewarm, mild
tiburón *m.* shark; **punta de tiburones** school of sharks
tiempo *m.* time; **a un —** at the same time; **de — en —** from time to time
tierra *f.* land; country
Tierra Caliente Hot Land (*term generally applied in Latin America to tropical or subtropical regions*)
Tierra Santa Holy Land
tigre *m.* tiger
tímido timid, shy
timón *m.* helm
tinieblas *f.* darkness
tinte *f.* tinge, hue
tipo *m.* type
tirar to throw; deal cards
tiritar to shiver
tirolesa *f.* Tyrolian song
título *m.* title
tiznar to smudge, begrime

toca *f.* hood
tocador *m.* dresser
tocar to touch; play; ring; reach
todavía still, yet
todo all, everything
toldilla *f.* roundhouse (*on a ship*)
toldo *m.* awning; tent
tomar to take; — **a empeño** make up one's mind to do something
tono *m.* tone
tonsurar to shear; tonsure
topar to find
torbellino hustling
torero *m.* bullfighter
tormenta *f.* storm; tempest
tornar to return; turn
tornasol *m.* changeable color
tornátil turned; graceful
torneado carved
torno *m.* winch; **en** — around
torpe dull; slow
torso *m.* body
tortuoso winding
torturador tormented
torturar to torture
torvo stern, fierce
torre *f.* tower
torrentera *f.* stream
tostado tanned
tostón *Mexican silver coin worth about fifty cents*
trabajosamente laboriously, painfully
tracería *f.* tracery
tradición *f.* tradition
traer to bring; carry; — **del diestro** guide
tragar to swallow
tragedia *f.* tragedy
trágico tragic; sad
traición *f.* treason
traicionero treacherous
traje *m.* dress, costume; suit
trajín *m.* moving about; work
trance *m.* critical moment; danger, peril
tranquilizar to calm, quiet down
tránsito *m.* passage
transmitir to transmit
transparente transparent
trapo *m.* rag, tatter; dress, garment
tras after, behind
trasgo *m.* goblin
traspasar to cross
tratar to discuss; treat; — **de** try
través *m.* misfortune; **a** — **de** across, through
travesaño *m.* crossbar
traza *f.* sketch, outline
treinta thirty
tremolar to wave
trémulo quivering, shaking
trenza *f.* braided hair, tress; head
tres three
tríbu *f.* tribe
trinchete *m.* heel knife (*used in shoemaking*)
trino *m.* trill
tripulación *f.* crew
triste sad
tristeza *f.* sadness, sorrow
tritón *pertaining to Triton, son of Neptune*

triunfal triumphant
triunfante triumphant
triunfar to triumph
trompeta *f.* trumpet; — **del Juicio** Gabriel's Horn
tronco *m.* trunk
tronera *f.* harum-scarum
tropa *f.* troop; crowd
tropel *m.* crowd; confusion; rush; **en** — in a hurry
trotante lively
trotar to trot
trote *m.* trot; **al** — at a trot
truhán *m.* scoundrel
truhanería *f.* low jest
trujo *see* **traer**
tullido partially paralyzed
tumultuoso tumultuous
túnica *f.* robe, gown
tunicela *f.* tunic
turanio *m.* Turanian (*native of a region north of Turkestan*)
turba *f.* rabble, mob, crowd
turbación *f.* disturbance
turbar to confuse
turgente prominent; pompous
turquí deep blue
tutear to treat with familiarity

U

ultrajado outraged, insulted
Ulúa (San Juan de) *fortress which defends the entrance to the port of Veracruz*
umbral *m.* threshold; **deténgase en los umbrales** don't go any farther
un, uno a, an; one; **—a vez** once; **—as veces** sometimes; **uno y otro** both
único sole, only
unir to unite, join
untar to smear
uña *f.* claw; fingernail
Urbino *ancient town in Central Italy*
usanza *f.* custom
usear to use
uso *m.* custom

V

vacilar to waver, hesitate
vacío empty
vadear to wade, ford
vado *m.* ford of a river
vagamente vaguely
vagar to wander; hover
vago vague; distant
vaho *m.* vapor
vaivén *m.* unsteadiness; sway
valedor brave
valedor *m.* friend; boss
valentía *f.* valor, courage
valer to be worth; use
valeroso brave, courageous, bold
¡ valgáme Dios ! good Heavens!
valimiento *m.* protection, support
vallado *m.* hedge, fence
valle *m.* valley
vanidoso vain
vano vain
vapor *m.* mist; vapor
varar to ground
varios various
varonil manly

vaso *m.* glass
vastedad *f.* vastness
vasto vast, huge
Vaticano Vatican
vea *imperative of* **ver**
veinte twenty
vejez *f.* old age
vela *f.* sail; vigil; **hacerse a la** — to set sail
velado veiled, hidden
velamén *m.* canvas; set of sails
velar to veil; clothe
velón *m.* brass lamp
velozmente rapidly, quickly
vencedor *m.* conqueror, victor
vencer to conquer, overcome
vendar to bandage
vender to sell
venenoso poisonous
venir to come; — **de camino** travel; — **de perla** suit perfectly
venta *f.* inn
ventana *f.* window
ventolina *f.* light sea breeze
ventura *f.* chance, venture
venturoso successful, fortunate
ver to see
Veracruz *Mexican port on the Gulf*
verbena *f.* verbena
verdad *f.* truth
verdaderamente truly
verde green
verdeante greenish
verdinegro greenish-black
verdoso greenish
vergüenza *f.* shame
versallesca courtly
verter to shed, spill
vértigo *m.* dizziness
vestido *m.* dress, suit
vestidura *f.* robe
vestir to dress; **—se de luto** wear mourning
vetusto very old
vez *f.* time; **en — de** instead of; **tal —** perhaps; **por veces** at times
Vía-Crucis Way of the Cross
viajar to travel
viaje *m.* trip
viajero *m.* traveler
vianda *f.* food
viático *m.* provision for a journey
víbora *f.* snake
vibrante shaking, vibrating
vibrar to vibrate
vida *f.* life; lifetime
vieja *f.* old woman
viejo old; gray
viento *m.* wind
vigilia *f.* vigil
vigoroso vigorous
villa *f.* town
villaje *f.* hamlet
violar to violate; profane
violencia *f.* violence
violento violent
violín *m.* violin
vino *m.* wine
virar to turn back
virgen *f.* virgin
virtud *f.* virtue
virrey *m.* viceroy
visión *f.* vision
visitar to visit
vista *f.* view; sight

vistoso showy; flaring
viuda *f.* widow
viva alive; — **fuerza** sheer force
vivaz lively
vivir to live
vivo alive
vocear to cry out, shout
vocerío *m.* clamor
volanta *f.* two-wheeled vehicle
volar to fly
volcánico volcanic
volcar to overturn; tilt
voluntad *f.* will
voluptuosidad *f.* voluptuousness
voluptuoso lustful, lewd; voluptuous
volver to return; turn; — **a** repeat, . . . again
voraz destructive
vos you
voto *m.* vow
voz *f.* voice
vuecencia Your Excellency
vuelco *m.* turn
vuelo *m.* flight; **al** — quickly
vuestro your
Vulcano Vulcan (*god of fire*)

Y

y and
ya now; already; once
yo I
yerba *f.* weed; grass
yerbazal *m.* meadow
yermo *m.* waste, desert
Yucatán *Mexican state on the Yucatan Peninsula*
yucateco *m.* native of Yucatan

Z

zagalejo *m.* short skirt
zaguán *m.* entrance hall
zalagarda *f.* sudden attack; mock fight
zalema *f.* bow; courtesy
zarape *m.* serape (*Mexican shawl or blanket*)
zarpar to weigh anchor, sail
zócalo *m.* socle (*square block supporting a statue*)
zona *f.* zone
zoölógica zoological
zopilote *m.* buzzard
zozobra *f.* anxiety
zumbar to buzz, hum